O UNIVERSO INACABADO

O UNIVERSO INACABADO
Mario Novello

n-1 edições © 2018
ISBN 978-85-66943-55-9

Embora adote a maioria dos usos editoriais do âmbito brasileiro, a n-1 edições não segue necessariamente as convenções das instituições normativas, pois considera a edição um trabalho de criação que deve interagir com a pluralidade de linguagens e a especificidade de cada obra publicada.

COORDENAÇÃO EDITORIAL Peter Pál Pelbart
    e Ricardo Muniz Fernandes
ASSISTENTE EDITORIAL Inês Mendonça
PROJETO GRÁFICO Érico Peretta
PREPARAÇÃO Ana Godoy
REVISÃO Carol Laguna

A reprodução parcial deste livro sem fins lucrativos, para uso privado ou coletivo, em qualquer meio impresso ou eletrônico, está autorizada, desde que citada a fonte. Se for necessária a reprodução na íntegra, solicita-se entrar em contato com os editores.

1ª edição | Impresso em São Paulo | Abril, 2018

n-1edicoes.org

Mario Novello

O UNIVERSO INACABADO
A NOVA FACE DA CIÊNCIA

n-1 edições

Jamais, jamais concluir uma paz com o dogma
HEGEL

08	Preâmbulo
10	Prólogo
16	A nova face da ciência
64	Liberdade na física, no direito, na filosofia: inesperadas semelhanças
72	O infinito e as formas físicas
138	Os vazios e seus infinitos: elogio à imaginação
150	As leis da física e a criação do mundo
174	Manifesto Cósmico
198	Bibliografia

Preâmbulo

Para além da análise da origem do universo, a cosmologia, ao promover a refundação da física e a destruição do que pareciam ser sólidos paradigmas da ciência, produz mudanças radicais na descrição do real que inevitavelmente se espalham por todo o pensamento contemporâneo. Esse seria então o momento de perguntar: como esse modo de pensar o universo afeta o discurso racional para além da ciência?

Com esse comentário, termino o livro *Do big bang ao Universo Eterno*. Retorno a essa questão cujas consequências não foram ainda completamente assimiladas e compreendidas, não somente em seu contexto natural, a epistemologia, mas igualmente em dimensões filosóficas mais amplas.

Não diria que podemos aceitar os temas tratados no texto que segue como prolegômenos ao suicídio da razão científica. No entanto, ficará claro que penetramos, com a cosmologia, em uma análise de fundamentos que gera dificuldades, pondo em questão a interpretação tradicional da ciência. Procurar uma nova visão da atividade científica a partir da cosmologia é a tarefa grandiosa, mas indispensável, que temos pela frente. Espero, com esse texto, ter dado um primeiro passo nessa direção.

Prólogo

A física, ao longo do século XX, foi marcada fundamentalmente pelos avanços notáveis realizados na análise do comportamento da matéria no nível elementar, no mundo dos átomos e das partículas elementares, no microcosmo. O sucesso da física quântica em descrever fenômenos mais variados permitiu aprofundar nosso conhecimento do que se passa no interior da matéria.

Nas últimas décadas, ocorreu um enorme movimento em outra direção, modificando esse interesse ao passar do predomínio da atenção sobre o microcosmo para o macrocosmo, no território da astronomia, da astrofísica e, mais além, da cosmologia, na exploração do universo entendido como uma unidade global.

Algumas consequências desse intenso olhar para os céus revelam propriedades excepcionais que iremos explorar. Certamente, a mais inconveniente é aquela que provoca a afirmação de que vivemos em um universo onde as leis físicas estão em formação. Isso constitui um golpe profundo nos fundamentos da ciência e abala a descrição global do universo. No entanto, como essa variação das leis não afeta diretamente as pesquisas terrestres nem as tecnologias associadas, é possível, provisoriamente, ignorar suas consequências, se limitarmos nossa descrição do mundo, abdicando de questões de natureza global.

Dividi esse texto em seis capítulos de interesses variados, mas todos com a mesma orientação explicitada acima. Apresento aqui um pequeno resumo de cada um deles.

A NOVA FACE DA CIÊNCIA

Há uma nova ordem em construção na cosmologia contemporânea capaz de produzir uma alteração substancial na ciência e que transborda para outros saberes. A razão para isso advém da análise da dependência cósmica das leis físicas que induz à inesperada consequência de que as leis do universo estão ainda em formação. Somos, assim, levados à conclusão perturbadora de que vivemos em um Universo Inacabado.

Uma tal variação com o tempo cósmico põe uma questão pouco usual na ciência: devemos aceitar que algum princípio teleológico controla essas variações? Seria esse princípio a instauração do domínio do sagrado na natureza? Existe uma intenção nessa alteração como, em outro contexto, afirmam os defensores do princípio antrópico? Afinal, como interpretar a variação das leis da natureza?

Espera-se da física que ela se limite ao aspecto *coisa* do mundo, exibindo um distanciamento notável de nós humanos, pois, na modernidade, o universo não tem alma, é inanimado, e a ciência deve construir leis que exibam uma ordem fixa e imutável.

Ou seja, as leis físicas deveriam estar determinadas de um modo único e preciso. No entanto, essas leis sofrem influência cósmica, fazendo com que, em diferentes eras da evolução do universo, elas possuam propriedades distintas. Essas alterações, mesmo no contexto de um Universo Dinâmico, produzem questões que os físicos não estão habituados a tratar.

Para contornar essa dificuldade, diminuir o abalo em suas estruturas e reinstaurar uma ordem cósmica como nos tempos iniciais da fundação da ciência, os físicos imaginaram uma solução simples e efetiva. Trata-se de aceitar a hipótese de que é a gravitação que determina a variação das leis da física no universo. Ao sustentar essa proposta, invoca-se seu caráter universal e seu papel na estrutura da geometria do espaço-tempo.

Em resumo, iremos investigar a ação de três princípios que sustentam a nova ordem na ciência:

- A universalidade da interação gravitacional;
- A descrição da força gravitacional como modificação da geometria do espaço-tempo;
- A interferência da geometria na constituição das leis cósmicas.

Essa estratégia, por ser uma solução técnica, operando no interior da tradição científica, produz um resultado positivo, permitindo tratar a variação das leis físicas em um contexto conservador da ciência, limitando o efeito perverso que essa ausência de rigidez provoca no modo convencional de assegurar a consistência das leis. No entanto, embora ela reduza as dificuldades geradas pela dependência cósmica das leis físicas, não elimina a inquietude que essa dependência provoca.

LIBERDADE NA FÍSICA, NO DIREITO, NA FILOSOFIA: INESPERADAS SEMELHANÇAS

Há uma aceitação implícita de que certos conceitos usados nas ciências humanas, quando possuem similar nas ciências da natureza, adquirem nessas últimas um caráter absoluto impossível de encontrar nas questões humanas. Iremos ver que, em alguns casos, isto é uma falácia. Para isso, escolhi examinar o conceito de liberdade, entendido como relativo quando aplicado nas ciências humanas, e que na física é identificado como absoluto, pois é do conhecimento geral que na física um corpo é considerado livre se sobre ele não atua nenhuma força. Vamos mostrar que essa definição, para ser eficiente, depende de uma escolha particular da representação usada para descrever a geometria do mundo e, consequentemente, inibe o caráter absoluto atribuído desde sempre ao discurso científico.

O INFINITO E AS FORMAS FÍSICAS

Os matemáticos tratam o infinito com uma atenção especial; já os físicos têm horror ao infinito, e sua presença em uma teoria pode destruir todo o edifício conceitual sobre o qual ela foi construída. No entanto, há várias aparições do infinito em teorias bem aceitas na cosmologia. Iremos entender como isso é possível.

OS VAZIOS E SEUS INFINITOS

Os físicos produziram várias definições do vazio. Dentre elas, três são típicas: vazio clássico, vazio quântico, vazio curvo. O cenário descrito pelo modelo do Universo Eterno identifica sua origem a um desses vazios. Essa hierarquia de vazios cria um desconforto racional que deve ser investigado criticamente.

Veremos como construir formalmente uma álgebra dos transfinitos. Uma tal análise pode parecer deslocada, pois sem continuidade, deixada como uma indagação no ar, não realiza de imediato a abertura formal prática que dela se poderia esperar. Eu a incluo nesse texto porque ela permite idealizar uma estrada para que seja possível sair da prisão inadequada a que se costuma identificar a atividade científica.

AS LEIS DA FÍSICA E A CRIAÇÃO DO MUNDO

Uma das mais estranhas novidades que a ciência produziu no século xx foi a esperança de produzir uma história completa do universo, envolvendo principalmente sua etapa mais formidável e atraente, a sua origem. Iremos comparar essa versão científica da criação do mundo com as várias versões que as antigas civilizações nos legaram através de seus mitos.

MANIFESTO CÓSMICO

O Manifesto Cósmico surgiu como síntese das questões tratadas acima, da necessidade de examinar o papel tradicional da ciência na nova ordem apresentada na cosmologia, provocada pela análise da dependência cósmica das leis físicas. Esse resultado leva a aceitar que os filósofos Marx e Engels estavam certos quando afirmaram: "só reconhecemos uma ciência: a ciência da história". Essa proposta foi entendida pelos físicos somente nos dias atuais e representa a característica principal do que chamei a nova face da ciência.

A nova face da ciência

PARTE 1: **Introduzindo o cenário global das leis da física**

A partir da elaboração sistemática das leis físicas, os cientistas produziram um alicerce sobre o qual se construiu uma representação, aceita universalmente como fiel, da realidade. Em seu domínio de validade, as leis sempre foram entendidas como pétreas, fixas, rígidas, invariáveis no espaço e no tempo. Assim se estruturou o mundo newtoniano, identificado como a representação formal dos fenômenos acessíveis ao nosso cotidiano.

Mudanças nas leis são consequências naturais da investigação continuada e constituem quase sempre limitações impostas a uma lei anterior cuja expansão, para além de seu território de validade, é substituída por uma lei maior que engloba a anterior e que se reduz a ela naquele seu domínio. As alterações radicais ocorridas na física do século XX não alteraram essa compreensão, e sim reforçaram a ideia da amplitude do conceito de lei física.

Essas leis, consideradas dessa forma rígida, foram extrapoladas para todo o universo. J. Merleau-Ponty, em *Questions philosophiques de la cosmologie*, considera a cosmologia como a ciência cujo objetivo é descrever, em conformidade com as leis da física, as propriedades características do Universo Natural considerado como um todo, ou seja, a extrapolação das leis físicas para o universo deveria fazer parte do procedimento convencional na elaboração de uma representação do universo.

Essa opinião, que se estabeleceu como uma doutrina entre os epistemólogos, deve ser contrastada com a proposta que nasce no território próprio da cosmologia, segundo a qual a argumentação de que as leis da física podem variar com o tempo cósmico deixou de ser uma especulação, como na primeira investida de 1937 realizada por Paul Dirac, para constituir um esquema convencional nos padrões da ciência, de acordo com Andrei Sakharov nos anos 1960. Essa mudança de status inaugurou uma era de profunda alteração no modo de compreender a atividade científica. A condição de tratar as leis da física como em formação, em um Universo Variável, desqualifica completamente o uso da definição por J. Merleau-Ponty. Para que isso acontecesse, foi necessário um longo caminho, que colocou a cosmologia como reveladora confiável de novidades inesperadas na ciência.

Tradicionalmente, as leis físicas sempre foram entendidas *da natureza,* universais, constantes e independentes dos observadores. Elas são descritas por fórmulas, que, estas sim, dependem do formalismo matemático utilizado. Essa compreensão de que as leis estão no mundo levou à aceitação de que são eternas, características típicas desse universo.

Entendemos então porque o desenvolvimento recente das pesquisas científicas, baseadas na dependência das leis físicas para com o tempo cósmico, gera desconforto intelectual: elas são exemplos que se organizam fora daquela tradição. No entanto, essa dependência cósmica das leis físicas só parece estranha porque aceitamos sub-repticiamente que a extrapolação das leis terrestres ao universo inteiro não é uma hipótese, e sim um procedimento natural, isento de dúvida.

Se as leis físicas variam no passado, assim como em nosso futuro, então a evolução do universo é imprevisível, causando desconforto formal e mais, abalando a segurança do edifício da ciência que se supunha bem estruturado e intocável, produzindo incertezas, pondo em questão seus fundamentos e provocando uma crise na construção científica da realidade. Isso se deve, em particular, à inesperada consequência que advém daquela dependência, de que o universo está em formação, as leis cósmicas estão em construção. Ora, o sucesso da física terrestre em promover uma descrição racional e quase completa do mundo tinha induzido uma fé absoluta na solidez dessas leis e na sua veracidade para além de nossa descrição terrestre, entendida então como universal. É por isso que, durante mais de 50 anos, esse problema, sugerido como objeto de investigação nas primeiras décadas do século xx, foi deixado de lado. Todavia, há indícios de que devemos conviver com a ideia de as leis físicas variarem com o tempo cósmico, o que sugere concluir que vivemos em um Universo Inacabado.

É à compreensão do significado dessas conclusões e ao esclarecimento desse processo de modificação das leis da natureza que iremos nos dedicar nesse texto.

Começamos por examinar alguns fundamentos do discurso científico para situar o cenário onde essa análise será desenvolvida. Antes, um breve comentário esclarecedor e reconfortante para a construção de uma ordem da ciência terrestre.

Da segurança do método científico no desenvolvimento da tecnologia

É preciso deixar claro que a variação cósmica das leis físicas não produz nenhum efeito sensível em nossa vizinhança terrestre. A razão se deve a que essa dependência temporal só produz efeitos observáveis quando se trata de fenômenos referentes a longos períodos de tempo cósmico ou em regiões onde o universo se curva intensamente sobre si mesmo. Como os processos terrestres possuem tempos de ocorrência extremamente reduzidos, comparativamente aos tempos cósmicos de variação das leis, entendemos porque não existem efeitos apreciáveis nas leis físicas que aplicamos em nosso planeta e em nossa vizinhança e porque podemos, então, considerar as leis físicas terrestres como pétreas, fixas.

A variação cósmica das leis só tem consequências observáveis ao analisarmos a fenomenologia global, quando tratamos de processos que ocorrem no Universo Profundo, distante de nós no espaço e no tempo.

Em toda lei física existem componentes cósmicas que não interferem em eventos locais. Não afetam a tecnologia, nem são necessárias para entender a maioria dos fenômenos terrestres. Somente quando pensamos no cenário global, quando não podemos esquecer que vivemos em um canto pequeno de um universo grandioso, essa influência cósmica aparece. Ou quando queremos expandir certos conceitos que parecem evidentes. Um exemplo bastante esclarecedor diz respeito à questão causal.

A relatividade especial afirma que, em cada ponto do espaço-tempo, existe um processo causal que pode ser representado pela observação de que todo observador real, todo corpo material tem sua trajetória no espaço-tempo controlada pelo cone de luz quadridimensional local. Isso deve ser interpretado com a afirmação de que nenhum corpo material pode localmente se movimentar com velocidade maior do que a da luz.

Essa causalidade local permite definir uma flecha do tempo, uma distinção clara e precisa entre futuro (para onde estou caminhando) e passado (de onde vim). Assim, idealizamos um passado e um futuro nitidamente separados e pudemos construir uma sequência causal de eventos.

Entretanto, como Kurt Gödel mostrou, essa extensão para todo o universo é uma hipótese que pode ser válida em algumas configurações do espaço-tempo, mas não em outras. Podem existir certos tipos de geometrias que satisfazem a teoria da relatividade geral, na qual a estrutura da métrica não permite a construção de um tempo único global. Nessas geometrias, ao caminhar localmente para o meu futuro, estou me aproximando de meu passado.

Sintetizando essa argumentação formal de Gödel, a causalidade local não é garantia de causalidade global. Ou seja, uma propriedade local, uma lei física terrestre pode não ser válida quando extrapolada para regiões profundas no universo.

A tecnologia que se construiu nesses séculos científicos está isenta dessa dificuldade, dessa disforme contaminação temporal. Isso garante a autonomia e a independência dos fenômenos terrestres de uma eventual variação da lei física. Por isso, em um primeiro momento, sem muita reflexão sobre suas consequências, tal propriedade pode não despertar interesse na sociedade. Essa invariância das leis físicas terrestres garante que não tenhamos nenhuma crise em curto prazo na ordem social permitida pelas tecnologias disponíveis. Isso restringe o alcance da descrição do real às nossas vizinhanças ou, no melhor dos casos, aos sistemas onde a curvatura do espaço-tempo é pequena.

Outro comentário preliminar se faz necessário. Essa correção de rumo que o universo se impõe não deve ser entendida em um sentido teleológico, e sim dentro de certos princípios básicos que constituem as premissas da ordem que orienta os cientistas, como, por exemplo, princípios de gastos mínimos.

Não irei me estender sobre essa questão agora, que será deixada para uma etapa posterior, pois o primeiro passo é entender como as leis variam. Só depois de conseguirmos descrever com sucesso essa dependência cósmica teremos uma base sólida necessária para uma compreensão mais profunda de suas origens.

Dialeto newtoniano

O renomado físico Victor Weisskopf sugeriu dividir as ciências da natureza, segundo seu escopo: haveria as ciências cósmicas e as terrestres. As primeiras distinguir-se-iam das segundas pelo valor das grandezas representativas dos fenômenos sob exame – grandes massas, altas velocidades, vastas energias, largas distâncias, longas durações. Disciplinas tipicamente cósmicas seriam a astronomia e a astrofísica, a física de partículas elementares e, naturalmente, a representante típica, a cosmologia.

Foi no domínio das ciências terrestres que se forjou uma ordenação newtoniana do mundo. Até o final do século XIX, as verdades científicas que a física exibia pareciam compreensíveis para os não cientistas, o que não ocorreu com as explicações contidas nas mais importantes teorias daquele século. Tanto a teoria da relatividade, restrita e geral, quanto a teoria quântica cercaram-se de uma aura transcendental para a *intelligentsia*, em razão das dificuldades de sua compreensão para aqueles que não são cientistas dessas áreas e que não dominam suas formulações. Essa dificuldade tem uma única origem: estas teorias tratam de situações que não são observadas no cotidiano. A ciência terrestre, fundamentada na física newtoniana, se ocupa de propriedades capazes de serem explicadas por meio de uma linguagem usual, corriqueira, por considerações do dia a dia. Tratam de fenômenos com baixas velocidades, pequenas pressões, temperaturas não extremamente elevadas, características que podem ser associadas aos nossos corpos, à dimensão humana.

Por outro lado, a ciência cósmica se ocupa de experiências produzidas, sofisticadas e de difícil acesso. Trata, por exemplo, do que ocorre quando se atinge velocidades fantasticamente grandes, próximas da velocidade da luz – trezentos mil quilômetros por segundo; trata também das propriedades novas de corpos extremamente pequenos (da ordem de um átomo ou inferior), bem como de situações envolvendo estruturas enormes como galáxias formadas por centenas de bilhões de estrelas.

Passou-se assim do exame de estruturas envolvendo características de dimensão humana para muito além ou muito aquém dela. Esta situação, conhecida como *a questão do dialeto newtoniano*, explicita as fronteiras entre o que tratava a física clássica (até o início do século xx) e a nova física, relativista e quântica, surgida nas primeiras décadas do século passado.

Neste novo território de explicação, fenômenos que parecem impossíveis de realizar no mundo, efetivamente ocorrem. Por exemplo, como entender, com nosso modo newtoniano de representar a realidade, usando nossa experiência corpórea, sentenças como: para ir de um ponto do espaço a outro, no nível quântico, não é preciso passar por todo os pontos intermediários; ou, como entender a possibilidade descrita por algumas soluções permitidas na teoria da relatividade geral, onde a causalidade local não pode ser estendida globalmente, permitindo afirmar que, naqueles casos, embora a cada momento eu caminhe para meu futuro, estou *ipso facto* me aproximando de meu passado.

O leitor não acostumado com essas afirmações da física do século xx certamente terá dificuldades em fazê-las entrar em seu sistema racional, construído com suas próprias experiências, em seu cotidiano. Essa dificuldade se dá porque estas propriedades não são comuns, não fazem parte de situações usuais de nosso dia a dia; ao contrário, são propriedades da matéria em circunstâncias muito especiais, que só podemos acessar mediante um embasamento formal sofisticado, que é no que se transformou a física moderna. No entanto, elas formam a teia que sustenta a ciência e que devemos entender como constituindo a realidade subjacente que ela está revelando.

O sistema newtoniano e a estrutura das leis: da queda da maçã à universalidade das leis da física

O sucesso da ideia que levou, a partir da observação da queda de uma maçã, à grandiosa proposta da existência de uma lei universal da interação gravitacional induziu a construção, no imaginário científico, de que esse modo de pensar os processos da natureza poderia ser transformado em uma regra de universalização. Dito de outro modo, permitiu a elaboração da crença segundo a qual as leis físicas construídas a partir de observações realizadas na Terra e em suas vizinhanças deveriam ser válidas para todo o universo.

Como método de trabalho, a extrapolação das leis para além das observações efetivamente realizadas nos laboratórios terrestres é um procedimento correto, e deve ser entendida como um caminho possível para estabelecer o domínio de validade de cada lei e exibir ulteriormente sua universalidade ou não. Contudo, ela deve ser nada mais do que isso: uma proposta de universalização da descrição de certos processos físicos. Não deveria ser identificada como um instrumento formal absoluto, de poder ilimitado, impondo um padrão de comportamento fora do alcance do território comprovado. Em verdade, não deveria ter o poder de eliminar, sequer como metodologia de trabalho, alternativas igualmente possíveis, menos convencionais, de descrição dos fenômenos da natureza.

A hipótese de que a cosmologia não traz novidades sobre as leis fundamentais da natureza extrapoladas para todo o universo requer a aceitação de uma versão sofisticada do sistema geocêntrico. Dessa vez, trata-se da submissão do pensamento a uma prática que inibe a novidade formal, impedindo propostas diferentes das convencionais de serem seriamente consideradas. Em outras palavras, criam-se condições para o aparecimento ulterior de um novo Copérnico, que não se subordine a essas limitações e, numa crítica à tradição, abra uma vez mais o pensamento humano à procura de estruturas não convencionais, produzindo novas riquezas conceituais.

As leis da física são "para sempre"?

Poincaré, Einstein, Bohr, Schrödinger, Dirac, Heisenberg, Pauli e muitos outros cientistas que participaram das revoluções do pensamento dominante na física, ao longo da primeira metade do século xx, permitiram consolidar a imagem da preservação da estabilidade das leis. As forças de longo alcance, o eletromagnetismo e a gravitação possibilitaram a generalização dessas leis para além dos laboratórios terrestres até a generalização máxima pretendida, o universo.

Aceitar que as leis da física sejam eternas e imutáveis, determinadas por um decálogo cósmico, é ter uma visão a-histórica dos processos no universo. Entretanto, ao longo do século xx, tal visão dominou toda a construção da ciência na certeza de que essas leis são estáveis, imutáveis, eternas. Recentemente, a análise da dependência cósmica das interações produziu uma função colateral importante, qual seja, retirar qualquer resquício de irracionalidade na descrição dos fenômenos na natureza.

Lembremos que o que chamamos, simplificadamente, dependência temporal é, em verdade, uma dependência espaço-temporal. Somente quando se escolhe um sistema de coordenadas especial, definido como uma representação gaussiana, que permite separar o espaço tridimensional do tempo – assim como é feito na física newtoniana e na teoria da relatividade especial –, transforma-se a variação global das leis em uma simples dependência temporal.

Não podemos deixar de reconhecer que é um procedimento convencional a utilização dos modelos físicos construídos na Terra para descrever os fenômenos no universo, e não apenas em nossa vizinhança terrestre, mas muito além. A ambição é imensa, pois queremos entender o universo inteiro. Para isso, é legítimo usar, em uma primeira tentativa, as leis que construímos na Terra, tendo a mente aberta para, se necessário for, alterá-las.

Nesses quatrocentos anos de evolução do status da ciência, podemos reconhecer que sua construção se deu quase unicamente graças aos fenômenos experimentados na Terra. Esse embasamento terrestre é único, solidamente confiável, pois quando o cientista volta seu olhar para os céus, é obrigado a deixar de lado o método experimental e passa a observar o universo, tendo a missão de produzir uma representação da imensidão do espaço e do tempo. O exemplo mais evidente dessa limitação é a cosmologia. Com efeito, a possibilidade de repetir experiências programadas para testar comportamentos da matéria e correspondentes teorias físicas não pode ser realizada quando se trata da totalidade do espaço-tempo e da matéria existente. Não podemos repetir experiências para examinar suas propriedades, pois temos acesso somente a um único universo. Assim a ciência trata a ideia de universo, embora nos anos recentes propostas da existência de outros universos, destacados desse nosso, têm sido formalmente estudadas.

É compreensível, assim, que aceitemos como natural o modo sistemático de realizar a imensa tarefa de produzir uma representação coerente e racional do universo, a partir do princípio de extrapolação das leis terrestres.

Só para dar um exemplo, podemos notar que a física nuclear permitiu entender a evolução das estrelas através da aplicação da teoria quântica. Conseguiu-se uma descrição de fenômenos observados em nossa vizinhança e em regiões longínquas no espaço e no tempo. Fomos mesmo além, e formulamos cenários cosmológicos concorrentes a partir de uma dinâmica que produz uma teoria global do espaço-tempo, como a relatividade geral e a teoria escalar geométrica da gravitação.

O primeiro movimento introdutório ao cenário cosmológico moderno

O mundo newtoniano representava o universo como o interior limitado de uma caixa estática que foi se alargando à medida que o progresso científico o exigia. Nos últimos cem anos, passou-se de uma caixa vista como um Universo Estático, imutável, cuja estrutura, espaço e tempo eram determinados a priori, para uma cosmologia dinâmica.

Curiosamente, em um primeiro momento, aquela descrição newtoniana do universo sobreviveu à profunda mudança imposta à representação do campo gravitacional feita pela teoria da relatividade geral proposta por Einstein em 1915. Essa preservação do mundo newtoniano aparece nitidamente ao examinarmos o primeiro modelo cosmológico elaborado por Einstein e apresentado na Academia de Ciências da Prússia em fevereiro de 1917.

Ao empreender a tarefa de conciliar sua teoria da gravitação com um cenário global do Universo, um trabalho gigantesco, estabelecendo os caminhos para produzir uma cosmologia, Einstein faz apelo a três hipóteses cruciais que irão se revelar incorretas:

- A topologia do universo é fechada: a seção espacial é finita, mas ilimitada. A geometria do espaço tridimensional tem curvatura negativa (mas a curvatura escalar do espaço-tempo quadridimensional é positiva);

- A geometria do cosmos é estática. Não há uma razão apropriada para supor variações temporais no universo. Por que deveria ele ter um movimento? As leis da física são consistentes e fixas. Para onde deveria se encaminhar um Universo Variável?
- A principal fonte da energia controladora da geometria do universo é constituída por matéria incoerente, sem interação entre suas partes; além dela, dever-se-ia acrescentar uma estrutura desconhecida, imaterial, a que Einstein deu o nome de constante cosmológica.

Com esses ingredientes, Einstein estabelece a *ouverture* de sua ópera sobre a totalidade universo. Porém, curiosamente, todos aqueles três ingredientes constituem corruptelas do mundo newtoniano. Mais dramático: eles se revelaram falsos.

Com efeito, o cenário padrão da cosmologia atual afirma que:

- A seção espacial do universo é euclidiana, ou seja, a curvatura do tri-espaço é nula;
- O universo é um processo dinâmico: sua geometria varia com o tempo cósmico;
- A origem dessas alterações da geometria se concentrou, ao longo da história do universo, ou sob forma de radiação (a densidade de energia dos fótons dominou o cenário cosmológico nos momentos iniciais da atual fase de expansão) ou como matéria ponderada (galáxias e aglomerado de galáxias). Não obstante, é importante notar que nos últimos anos a constante cosmológica ressurgiu como um possível fator capaz de produzir uma explicação alternativa para a possível aceleração do universo, entendida agora como *energia escura*.

Então aparece Friedmann

A evidência de que a geometria do universo não é constante no tempo surgiu no final dos anos 1920. Desde então, tornou-se unânime a compreensão de que vivemos em um Universo Dinâmico, onde a geometria varia com o tempo global, uma escolha de representação do espaço-tempo quadridimensional em termos de um espaço tridimensional e um tempo entendido como único, global. Outro golpe, que eliminou completamente a possibilidade de aceitar que o universo pudesse ser descrito pelo modelo cosmológico de Einstein, se deu com a demonstração de que esse modelo é altamente instável. Ou seja, em um universo controlado pela geometria de Einstein não teria existido tempo suficiente para gerar configurações estáveis e para permitir o aparecimento de vida, da Terra, da espécie humana.

Malgrado essa incapacidade observacional e teórica de sustentar o modelo cosmológico de Einstein, devemos reconhecer que o cenário padrão atual deve seu arcabouço formal àquela primeira tentativa, pois toda a Cosmologia Relativista contemporânea repousa sobre a formulação original na qual ele se estruturou.

Mais importante ainda, a questão crucial da cosmologia está na raiz daquele programa. Com efeito, uma leitura cuidadosa das propostas de Einstein permite inferir a questão fundamental inserida, sub-repticiamente, em seu programa e que depende da existência da constante cosmológica contida em sua terceira hipótese, a saber, a proposta revolucionária de que a cosmologia não se esgota na física.

Um cenário cosmológico mais realista foi apresentado pelo cientista russo Alexander Friedmann em 1922. Ele descreve um Universo Dinâmico cujo volume espacial total varia com o tempo cósmico. Ao longo do século xx, a ideia de que esse modelo de Friedmann assegurava um tempo finito de existência do universo dominou o pensamento na comunidade científica. As dificuldades que esse modelo continha foram resolvidas com propostas nem sempre provenientes de uma argumentação convencional, mas aceitas como necessárias para contornar questões inerentes à geometria do universo no modelo de Friedmann.

Nas últimas décadas do século passado, a ideia de que o universo poderia ter existido por um tempo bem maior do que os poucos bilhões de anos que seu modelo propunha foi crescendo e se tornando mais confiável, em particular porque se eliminaram algumas questões de divergência associadas as densidades de energia infinita, presentes no cenário de Friedmann.

Esse cenário novo trata a atual fase de expansão do volume total espacial como uma etapa ulterior precedida de uma fase de colapso gravitacional na qual o volume espacial diminuiu com o passar do tempo cósmico.

Ao mesmo tempo que se iniciava a aceitação de que nosso universo é eterno, antigas propostas de dependência temporal das leis físicas começaram a ser examinadas. Difundia-se a crítica de que o princípio até então adotado de que a lei física não pode ser violada e, consequentemente, deve ser rigidamente observada e atemporal não deveria ser aceito como uma verdade científica, mas somente como uma hipótese de trabalho. Por exemplo, essa reorientação foi assimilada como uma sugestão convencional para tratar o comportamento da natureza, podendo ter consequências extraordinárias envolvendo a evolução do universo, como no caso da violação da lei de conservação do número bariônico, o que permite a supremacia quantitativa da matéria sobre a antimatéria no universo.

Do mesmo modo, produzir leis físicas que valem na Terra permite pensar uma configuração do universo. Mas se as leis têm dependência cósmica, não se pode obter uma representação realista e completa do universo, a menos que aceitemos uma forma de compatibilidade local-global sugerida por Albert Lautman. Para isso, deveríamos aceitar a priori um concerto que controlaria as leis físicas, de modo a compatibilizá-las exibindo uma coerência que nos escapa, como no exemplo da relação causalidade local – causalidade global.

Passar das leis físicas local, terrestre, para leis cósmicas que se lhe assemelham exige a aceitação de uma hipótese que transcende a observação. Requer erigir como verdade a proposta da existência de coerência, tão necessária aos físicos, para que se possa prosseguir rumo a uma descrição racional do universo.

Entramos aqui no território onde se examina os fundamentos da investigação científica, o modo de descrever racionalmente fenômenos na natureza. Tradicionalmente, essa análise pode ser sintetizada num só resultado, a construção de leis físicas. No entanto, iremos ver como uma crise está se instalando sub-repticiamente, em razão do sucesso da cosmologia, que faz aparecer a questão: como entender a desejada constância das leis físicas em um Universo Dinâmico?

Por diversas vezes fomos alertados para a crítica aos alicerces da ciência, seu impacto no modo de produzir uma razão global do mundo e, como consequência, sua influência em outros modos de conhecer, em especial nas ciências humanas. Recentemente, Ilya Prigogine e Isabelle Stengers examinaram como alguns novos procedimentos na ciência levaram à introdução da historicidade em seus processos. Contudo, essa análise foi tímida, pois construída exclusivamente sobre a ciência local, terrestre. Ou seja, essa estratégia se restringiu a um discurso limitado, tomando uma imagem do universo como o interior de uma caixa identificada com uma configuração estática.

Em um segundo momento, chegou-se a admitir que suas paredes não são fixas. Isso fez entrar em cena o diálogo com um Universo Dinâmico. Essa crítica resultou restrita, em virtude da ausência de ação reflexiva do universo sobre os diversos processos, dos fenômenos subordinados, ao que é identificado como lei física. Aprendemos então que a aceitação da historicidade local das leis físicas não produz efeitos de instabilidade. O sistema continua coerentemente constituído, gerando simples alterações formais na produção científica. É essa condição que limita a análise de Prigogine-Stengers.

É o momento, então, de considerar o efeito de retorno do cosmos sobre os processos locais, essa dependência cósmica das leis físicas, e enfrentarmos uma situação que potencializa aquela relação entre as ciências físicas e as humanas, reconhecendo que a própria ordem científica está posta em questão.

Como então entender a sentença "o universo está (ainda) em formação"? Devemos reconhecer que essa interrogação vai além da sistemática de procedimento tradicional das atividades científicas.

Essa questão perverte a atividade científica e requer uma mudança crucial na função original da ciência. Não diria que estamos já nesse momento de transição, mas devemos nos preparar para essa mudança da orientação da ciência, do que se espera dela, na construção até mesmo de um modelo completo do universo. Não simplesmente de um cenário de sua evolução dinâmica, como se faz na cosmologia moderna, mas da própria atividade científica como produtora de uma ordem cósmica. Se a ordem cósmica está sendo pensada como variável, em formação, como produzir uma ciência dessa estrutura em formação? Seria o anúncio do fim da ciência ou estaríamos em um momento de sua transformação grandiosa?

Como disse Lautman, se as leis físicas não são rígidas, não

podemos continuar a chamá-las de leis. A menos que passemos das leis físicas às leis cósmicas e que essas não sejam dadas a priori, mas, sim, forjadas no embate permanente de um cosmos em constante ebulição. É essa questão que devemos nos preparar para responder: como associar leis na natureza se elas estão em formação? Estamos, assim, penetrando em um caminho que leva inexoravelmente ao exame dos fundamentos da investigação científica, à maneira de, racionalmente, descrever fenômenos da natureza.

PARTE 2: **Argumentos científicos de apoio: a construção de uma nova ordem**

A ciência, através de seu aspecto mais em evidência, a tecnologia, modificou substancialmente a sociedade nos últimos duzentos anos. Esse apelo da sociedade ao desenvolvimento tecnológico tem razões sociais e psicológicas. No entanto, há momentos em que questões mais gerais, menos práticas, parecem escapar a ele, como quando se trata de conhecer o universo. E, certamente, a questão dessa seção faz parte dessa preocupação. Conhecer se as leis da física variam ou são eternas não tem nenhum efeito prático sobre o sistema tecnológico. No entanto, os cientistas se interessam e muito por essa questão. A razão é a mesma que impulsiona a pesquisa fundamental: curiosidade.

Indo além da análise dos fenômenos terrestres, além da Via Láctea, nessa profusão de galáxias que constituem o universo, procuramos entender essa estrutura global que chamamos universo, tentando, através do mesmo método científico convencional teoria-observação-teoria, encontrar um cenário explicativo para sua formação, examinando as diferentes alternativas que os cientistas criaram para investigar sua origem. É por isso que a questão da dependência cósmica das leis físicas adquire uma importância maior: se as leis variam, então deveríamos, antes de aplicá-las indistintamente em qualquer situação no universo, averiguar como se dá essa variação e produzir um modelo capaz de sintetizar sua alteração e, quem sabe, entender porque ela acontece.

Essa é a principal razão que vem atraindo cientistas de diversas áreas a procurar, seja para captar essa dependência, seja para mostrar que as leis da física são eternas e independentes de qualquer posição no espaço e no tempo — o que todos sempre aceitaram implicitamente — e explicar porque essa rigidez seria uma característica do universo em que vivemos.

Até muito pouco tempo, a microfísica e, de modo mais amplo, a física terrestre eram pensadas fora do contexto cósmico. Elas pareciam não necessitar de explicação ulterior, eram tratadas então como sistemas autorreferentes, sem admitir qualquer forma de análise extrínseca para constituir uma razão autoconsistente. Porém, nas últimas décadas, a cosmologia invadiu abruptamente esse domínio tranquilo do pensamento positivista dominante e destruiu a paz racional daqueles que acreditam que a Terra, os homens, tem um papel especial no universo.

O impacto da geometrização da física

Ernst Mach, físico e filósofo do século XIX, teve um importante papel no desenvolvimento de algumas ideias que dominaram o discurso da ciência em várias áreas. Na física, por exemplo, Einstein reconheceu sua relevância, permitindo-lhe elaborar o programa geométrico da teoria da relatividade geral e estabelecer seus fundamentos. Robert Musil, em sua tese de doutorado sobre as doutrinas de Mach, o aponta como referência principal para as grandes revoluções do saber que adentraram o século xx, como as teorias econômicas de Marx e as construções psicológicas de Freud.

A identificação da força gravitacional à alteração da geometria do espaço-tempo implica a possibilidade de poder eliminar localmente a ação da força gravitacional, por escolha conveniente de representação. Ou seja, tudo se passa para uma dada escolha do sistema de representação espaço-temporal, como se um corpo, qualquer corpo, mergulhado em um campo gravitacional não sentisse localmente essa força. Essa propriedade tem relação íntima com a teoria da relatividade especial e só é eficiente em um domínio restrito, local, onde o campo não varia fortemente. Dito de um modo um pouco mais técnico, a geometria local pode ser associada à métrica do espaço-tempo sem curvatura, isto é, isento de ação gravitacional, chamado espaço de Minkowski. Para além de certo domínio pequeno, a presença da curvatura da métrica se faz sentir inexoravelmente. Essa característica permite compatibilizar os efeitos de mudança da geometria impostos pela ação gravitacional, típico da relatividade geral, com a teoria da relatividade especial, representada localmente pela geometria plana de Minkowski.

A teoria da relatividade permite tratar a dependência cósmica das leis da física convencionalmente, atribuindo um significado preciso a essa variação

É ingênuo pensar que, no século xx, se tenha introduzido a função histórica na física somente porque se conseguiu (a partir de interpretações especiais de dados astronômicos) caracterizar a dinâmica gravitacional em larga escala, como processo de expansão do universo, negando o imobilismo cósmico do primeiro cenário cosmológico proposto por Einstein.

Para examinar essa questão de um modo simples, sem entrar em detalhes técnicos, é preciso ter em mente alguns princípios sobre os quais se organizou a descrição das leis físicas ao serem extrapoladas do território onde foram observadas e testadas, para todo o universo — onde algumas delas nunca foram efetivamente testadas. Sem querer ser exaustivo, comentarei somente dois desses princípios, para termos uma ideia da amplidão e solidez que eles propiciam.

Princípio de acoplamento mínimo

Esse princípio propõe um modo especial segundo o qual matéria e energia sob qualquer forma interagem com um campo gravitacional externo, impondo que, localmente, as leis da física são precisamente aquelas descritas no domínio da relatividade especial. Ou seja, a gravitação não altera localmente a estrutura das leis físicas. E globalmente?

A característica maior da gravitação, sua variação no espaço-tempo, é medida pela curvatura construída com a geometria identificada com o campo gravitacional. Do que vimos acima, esse princípio impõe que a curvatura do espaço-tempo não deve aparecer na dinâmica que representa a interação da matéria com a gravitação, o que permite entender a razão pela qual o efeito cósmico de evolução do universo não afeta as leis físicas. Consequentemente, elas seriam as mesmas, quer o universo fosse estático, quer fosse dinâmico. A lição é clara: esse modo de interagir a matéria com a gravitação não afeta as leis básicas da física, descobertas na ausência do campo gravitacional.

Claro está que a evolução do universo se faz sentir em várias propriedades. Por exemplo, a frequência de um raio luminoso, de um fóton, varia com a expansão do universo. Mas isso, longe de ser uma prova da variação das leis da física, nada mais é do que a confirmação da validade das equações de Maxwell que regem o eletromagnetismo, mesmo se aplicadas em um cenário descrito por um universo em dependência temporal, no qual seu volume total varia com o tempo cósmico global.

Assim, entendemos que a razão que sustenta o caráter absoluto das leis está intimamente ligada ao modo pelo qual os efeitos gravitacionais são descritos. O princípio de acoplamento mínimo estabelece o modo formal pelo qual o caráter absoluto das leis pode ser adotado independentemente da intensidade do campo gravitacional. É essa descrição que sustenta a afirmação de que a dinâmica de expansão do universo é compatível com o caráter absoluto e universal das leis da física, constituindo o fundamento formal para aceitar a hipótese da constância universal das leis físicas terrestres. Como ir além? Isso é realizado pelo movimento seguinte que explora um modo distinto de tratar a interação gravitacional.

Princípio de acoplamento não mínimo

Esse princípio afirma que processos gravitacionais envolvem explicitamente a intensidade da gravitação, caracterizada pela curvatura do espaço-tempo dentro da formulação da relatividade geral.

Embora tenha sido empregado em diversas análises de processos astrofísicos ao longo do século XX, foi somente nesse século XXI que a comunidade científica passou a considerá-lo como um método convencional. A principal razão para essa demora em aceitar que a curvatura do espaço-tempo pode influenciar a dinâmica de outros processos residia na força do argumento acima descrito, segundo o qual localmente as leis da física são aquelas estabelecidas na ausência da gravitação.

Não podemos esquecer que foi precisamente o princípio de acoplamento mínimo que permitiu o estabelecimento de teoremas tratando a singularidade cósmica – típica do modelo cosmológico de Friedmann – como inevitável e que constituíram o alicerce sobre o qual se apoiou o cenário big bang para se tornar hegemônico. Esses teoremas permitiram aceitar a esdrúxula ideia de que o universo se originou de uma singularidade, exibindo densidade e temperaturas infinitas, que teria ocorrido a uns poucos bilhões de anos.

A presença de uma singularidade, associada a um valor infinito para quantidades físicas como os campos eletromagnético e gravitacional, havia sido considerada tradicionalmente como inaceitável pela comunidade científica. O aparecimento, no início da década de 1960, dos chamados "teoremas de singularidade" concedeu um status diferente à singularidade inicial do cenário big bang, na qual valores infinitos de diversas quantidades fisicamente relevantes pudessem ser considerados aceitáveis na teoria da relatividade geral. Curiosamente, isso contrariava o próprio criador dessa teoria, que mais de uma vez afirmara que a relatividade geral deveria ter sua dinâmica alterada naquelas regiões de campo extraordinariamente elevado. A argumentação de Einstein se baseara na dificuldade em conciliar a descrição da realidade dos fenômenos físicos com valores que nunca poderiam ser observados, como esse número inatingível, o infinito.

A simplificação formal da descrição da interação da gravitação com a matéria e a energia sob qualquer forma tem uma importância e consequências que vão muito além de simples detalhe técnico. Por exemplo, o primeiro cenário cosmológico sem singularidade, exibindo uma forma analítica da geometria, satisfazendo a teoria da relatividade geral, só foi possível graças, precisamente, ao tipo de acoplamento não mínimo entre o campo eletromagnético e o gravitacional.

A partir do final da década de 1970, a comunidade científica passou a aceitar esse processo de interação não mínima, permitindo ultrapassar a barreira singular dos modelos cosmológicos de Friedmann conhecidos até então e o surgimento de um cenário cósmico representado por um Universo Eterno, como suspeitava Einstein e como procuravam os primeiros cosmólogos como Richard Tolman, Fred Hoyle, Paul Dirac, Jayant Narlikar e outros. Ou seja, devemos reter dessa rápida passagem pelos diferentes modos de descrição da interação gravitacional da matéria a importância do abandono do acoplamento mínimo, passando-se então a aceitar a ideia de que a gravitação pode se fazer sentir em cada ponto do espaço-tempo, não somente através da métrica local, mas também através de sua curvatura. A descrição da interação gravitacional não se deveria restringir às regras impostas pela teoria da relatividade especial, mas adquiria novas formas de acoplamento dependentes da dinâmica da gravitação. Esse processo se inseria na linha de investigação de cientistas como Dirac, Jordan e outros, a fim de trazer, para o interior da física, questões envolvendo propriedades globais do universo, herança das ideias de Mach. Finalmente, devemos igualmente notar que foi esse princípio de interação não mínima que permitiu a elaboração do mecanismo de geração de massa de origem gravitacional.

A origem da massa como efeito cósmico da gravitação

Embora essa questão não envolva a variação das leis físicas, farei um pequeno interregno para mostrar a importância de efeitos globais mesmo em características tradicionalmente pensadas como íntimas, típicas de propriedade local, como a massa de todos os corpos.

Nas últimas décadas, os físicos de altas energias persuadiram-se de que a origem da massa de todos os corpos está associada à existência de uma partícula cuja função no universo seria a de dar massa às demais partículas fundamentais. Essa quase unanimidade não foi alcançada sem méritos: através de um mecanismo de quebra de simetria (situação em que evidências da alteração da invariância de uma propriedade física anterior podem ser percebidas), elaborou-se um modelo cuja função formal permite assimilar o aparecimento da massa a um modo dinâmico pelo qual uma partícula sem massa (em geral descrita como um campo que se espalha continuamente no espaço) adquire massa por meio de um processo de interação.

A ideia de que a massa é um processo dinâmico, consequência do resultado da interação de um campo sem massa com um agente externo, não é recente: tem mais de cem anos. Atribui-se a Ernst Mach, físico e filósofo austríaco, a primeira tentativa de produzir um modelo da origem da massa dos corpos. Um forte argumento que serviu de base a Mach para considerar essa sugestão está ligado à universalidade da interação gravitacional, pois tudo que existe interage com ela. Assim, argumentou ele, seria natural esperar que a gravitação estivesse na origem da massa. Essa hipótese parecia tão natural quanto impositiva. Como a física newtoniana, dominante no século XIX, afirmava que a massa é a origem da força gravitacional, isso deu origem a um interessante processo autorreferente: a gravitação gera a massa que por sua vez gera a gravitação.

A partir da revolução das primeiras décadas do século xx, graças em parte à teoria da relatividade especial e, posteriormente, a relatividade geral, os físicos reconheceram que não é só a massa que gera um campo de gravitação. Na verdade, toda e qualquer forma de energia, sob a forma de matéria ponderável ou não, produz gravitação. É por isso que o processo gravitacional é não linear, pois a gravitação também tem energia e, como toda e qualquer forma de energia, produz gravitação. Segue então que a gravitação produz gravitação. Assim, com a moderna teoria da gravitação de Einstein, entrou-se no território formal controlado por processos não lineares.

Mas a incapacidade de transformar a conjectura de Mach em proposta objetiva, apta a gerar uma análise quantitativa, impediu durante todo o século xx que essa origem gravitacional da massa fosse considerada como algo mais que simples sugestão elegante, porém vaga. Seu caráter apenas qualitativo teve como consequência seu esquecimento, até recentemente. Em contraposição, ao longo da década de 1970, por razões de ordem formal, o interesse em identificar a origem da massa reapareceu. Os físicos começaram a aceitar a hipótese básica de Mach de que a massa não deveria ser um conceito elementar, mas ter origem dinâmica e resultar de um processo de interação, ainda que não se tenha retornado à proposta do mecanismo gravitacional.

Há duas razões para isso:

1. A ausência de um modelo completo que permitisse análises quantitativas e mostrar como um processo de interação gravitacional pode conferir massa a um campo sem massa;
2. Devido à crença generalizada de que esse processo gravitacional deveria satisfazer as exigências da teoria moderna

da gravitação (relatividade geral). Consequentemente, ele deveria depender da intensidade da curvatura do espaço-tempo, que, nessa teoria, é o que caracteriza a presença de um campo gravitacional.

Se isso fosse verdade, como entender então que a massa de um corpo independe das propriedades locais onde esse corpo se encontra? Devemos notar que estamos nos referindo à massa de repouso do corpo.

A questão que se colocou então foi: o que seria responsável, no mundo da microfísica, por esse papel? Alguma das interações conhecidas ou se deveria considerar uma hipótese nova, associada à existência de um novo processo universal? Os físicos passaram a procurar, no interior do regime das partículas elementares, por esse processo. Descartaram a gravitação, por sua fraca intensidade, e as forças eletromagnéticas, que não são universais. Restaram as forças nucleares, de curto alcance, e a questão se colocou assim: sob que forma essa força nuclear poderia gerar condições para o aparecimento da massa, qual seria o condutor desse processo?

Foi então que se optou por um novo agente, com características simples, que se consubstanciou sob a forma de um novo campo escalar, conhecido pelo nome de um dos seus criadores, o físico britânico Peter Higgs. Aparece assim a construção teórica do bóson-H. O mecanismo pelo qual o bóson-H concede massa é um pouco técnico para ser desenvolvido aqui, mas podemos dizer duas ou três coisas sobre ele, para termos ao menos uma ideia, ainda que simplificada, desse processo.

Começamos pela suposição de que o campo que descreve o bóson-H possui massa e, por diferentes razões, que essa massa devesse ser elevada (algumas centenas de milhares de vezes a massa do elétron, por exemplo). Uma segunda suposição é de que esse campo-H deveria interagir com ele mesmo. Enquanto a primeira hipótese poderia ser testada por experiências, a segunda permaneceria para sempre inobservável, a não ser por algum de seus possíveis efeitos. Como consequência dessa hipótese de autointeração, o bóson-H admite, entre suas configurações possíveis, um estado especial de vácuo, onde sua energia seria mínima.

Curiosamente, nesse estado fundamental, sua distribuição de energia seria constante em todo lugar e, se interpretada como um fluido perfeito, a relação entre sua pressão e densidade de energia satisfaria a mesma equação de estado típica de uma constante cosmológica.

Esse fato deveria chamar atenção dos físicos para o papel que a gravitação desempenha nesse mecanismo de construção de massa, posto que a presença de uma constante cosmológica é típica da formulação de Einstein para essa forma de fluido perfeito. Embora alguns comentários tenham aparecido aqui e ali, apenas em 2011 meus colaboradores e eu conseguimos produzir um cenário completo, elaborado a partir da ideia original de Mach.

Como resultado descobrimos que — contrariamente ao que se aceitara até então — a intensidade do campo gravitacional não desempenha qualquer papel no mecanismo gravitacional de geração de massa. A força gravitacional funciona como um catalisador nesse processo, servindo de ponte entre um estado de energia fundamental – representado por uma constante cosmológica – e o campo sem massa ao qual ele dará massa.

Também de forma curiosa, esses dois mecanismos — o do bóson-H e o da gravitação — exigem a existência de um estado fundamental a partir do qual se concede massa às partículas. A energia desse estado se encontra homogeneamente distribuída no espaço. No caso do bóson-H, essa distribuição é entendida como consequência de autointeração do bóson-H consigo mesmo. No caso gravitacional, ela pode ser atribuída ao vácuo de todos os campos da física, ou ter uma origem clássica – conforme Einstein concebeu há quase cem anos.

Ao ser desenvolvido o novo mecanismo gravitacional, percebeu-se que as antigas críticas a esse modelo não são realistas. Não vamos entrar em detalhes aqui. Mas apenas para que o leitor tenha uma ideia da questão, vamos enfatizar que, como o papel da gravitação é apenas o de um catalisador, as críticas apontadas anteriormente contra a proposta dinâmica de Mach não podem ser mantidas. A gravitação penetra em todas as ações da matéria, mas age sobre elas, gerando a massa, somente como intermediária entre o universo e o corpo em questão. Tudo se passa, nessa função, como alguém que deixa atrás de si seu perfume característico. Contribuir para a fixação dessa fragrância nessa analogia é precisamente o papel da gravitação. Ou seja: ela é apenas um catalisador.

O bóson de Higgs e o paradoxo da massa

O matemático Bertrand Russell popularizou alguns paradoxos tradicionais, dentre os quais o chamado paradoxo do barbeiro que pode ser apresentado assim. Em uma ilha, a barbearia colocou um aviso muito especial que proclamava: *Se você não se barbeia, então venha visitar minha barbearia, pois eu faço a barba somente dos homens dessa ilha que não fazem a própria barba.* Segue então a curiosa questão: quem barbeia o barbeiro?

A questão da origem da massa de todos os corpos parece ter se envolvido em um paradoxo similar. Vejamos como isso ocorreu.

Por razões de natureza técnica, que não é meu objetivo aqui tratar, os físicos foram conduzidos a aceitar que todas as partículas elementares deveriam ter sua massa originada por algum tipo de processo físico.

De um modo resumido, podemos afirmar que, para se obter um mecanismo confiável, capaz de gerar massa para todos os corpos, é preciso satisfazer três condições:

1. Deve existir um campo universal que interage com todas as espécies de partículas;
2. Esse campo deve ser tal que sua interação com a matéria quebra explicitamente alguma simetria exibida por partículas de massa nula, como, por exemplo, a liberdade de gauge (calibre) para campos vetoriais ou a quiralidade para férmions;
3. Como as várias espécies de partículas elementares têm massas diferentes, deve existir um parâmetro livre, de tal modo que ele permita que diferentes corpos adquiram valores distintos para suas massas.

Vimos que existem somente dois candidatos aceitáveis para essa função que preenchem a primeira e crucial condição: o campo gravitacional e um campo escalar construído especialmente para exercer essa função ao qual se deu o nome mecanismo de Higgs.

No mundo quântico, esse campo de Higgs deve ser tratado igualmente como uma partícula elementar à qual foi associado o nome do mesmo campo. Físicos do Centro Europeu para Pesquisas Nucleares - CERN anunciaram a descoberta de uma partícula bem massiva que teria as características desejadas para ser considerada o bóson de Higgs. Isso parecia ter resolvido completamente a questão da origem da massa. No entanto, embora tenha passado ao largo como uma questão colateral, uma dificuldade de princípio aflige esse mecanismo e conduz a uma forma nova do paradoxo do barbeiro que pode ser sintetizado na questão: quem dá massa àquele que dá massa a todas as outras partículas?

A proposta do mecanismo de Higgs não apresenta uma solução. Por outro lado, o mecanismo gravitacional mostra, para essa questão, uma superioridade evidente, posto que a interação gravitacional se faz através de um campo que não tem massa. É aqui que o princípio de acoplamento não mínimo entra em jogo, pois, para que a gravitação possa ser eficiente na constituição da massa para todos os corpos, é indispensável que a curvatura do espaço-tempo esteja presente, como catalisador, na interação entre a matéria e o campo gravitacional.

Se me estendo nesse comentário sobre a interação gravitacional, é para pôr em evidência que o princípio de acoplamento não mínimo resultou ser bastante eficiente em vários processos físicos, como na eliminação da singularidade cósmica e na formação da inércia de todos os corpos. Nada mais natural então do que recorrer a ele aplicando-o a outras situações, como no caso da variação das leis físicas no universo. É a proposta que iremos examinar a seguir.

Dirac e a variação das constantes fundamentais

Um dos físicos mais imaginativos do século xx foi certamente Paul Andre Maria Dirac. Tanto no mundo quântico quanto na física clássica as contribuições de Dirac foram sempre além do tecnicismo, tendo gerado questões que extrapolaram o domínio da física. Por isso, não é de espantar que ele tenha sido também pioneiro no exame da dependência das leis da física para com a evolução do universo, embora, como veremos, o modo pelo qual ele estruturou sua proposta parece hoje excessivamente simples.

Existem quatro forças fundamentais na natureza. Excetuando a gravitação, as outras três são intermediadas por partículas associadas a campos vetoriais. No caso do eletromagnetismo, as partículas que conduzem a interação são os fótons; no caso das interações de desintegração de Fermi, são bósons massivos; nas interações fortes, são os glúons. Cada uma dessas interações tem uma constante característica. No caso da gravitação, é a constante de Newton; no eletromagnetismo, a carga do elétron; no caso das interações fracas que descrevem o decaimento das partículas, é a constante de Fermi. Dirac sugeriu que algumas dessas constantes, talvez mais de uma delas, poderiam variar com o tempo cósmico.

Tal dependência, mesmo com restrições claras ao seu fraco embasamento teórico, teve o mérito de abrir caminho para questões mais elaboradas e com maior embasamento teórico, formuladas a partir dela. O físico Pascual Jordan, por exemplo, levou a proposta de Dirac mais adiante e produziu uma nova teoria da gravitação que, além da geometria da relatividade geral, deveria conter uma outra função escalar que seria o resultado formal da aceitação da dependência temporal da constante newtoniana. Mais adiante, essa proposta se consolidou e a teoria da gravitação que se desenvolveu recebeu o nome de teoria escalar-tensorial. Ainda hoje ela é considerada como uma alternativa viável para representar a interação gravitacional.

Das leis da física às orientações cósmicas

(Onde se reorganiza a ciência da física como ciência do cosmos e se apresenta um caminho para uma crítica do status das leis físicas)

Esse texto não tem a intenção sub-reptícia de afirmar um saber arrogante, tampouco tentar impor uma ordem a partir de um conhecimento particular. Entretanto, é preciso estabelecer com rigor as bases do que estamos tratando, pois decidi utilizar um saber específico para expressar uma visão de mundo — não se deve deixar esses detalhes formais para outro momento. Ao propor um caminho, deve-se esclarecer de antemão os argumentos sobre os quais ele se sustenta.

É preciso ter em mente que a análise aqui descrita não se limita a um negócio entre físicos, em uma convencional luta por visões distintas sobre um procedimento técnico. A afirmação da dependência cósmica das leis físicas é um ataque frontal à paz do pensamento único antropocêntrico que controla tradicionalmente a construção e manutenção do ordenamento científico. É essa ordem científica que, ao extrapolar sua orientação para outros saberes e procedimentos, vai sustentar e orientar a ação política.

O matemático A. Lautman, em conformidade com grande parte dos físicos, explicitou a adesão aos princípios tradicionais da ciência ao sugerir que não consegue conceber como se pode falar de "lei física" se esta depender de ponto, se variar no espaço ou no tempo.

Para dar sequência e entender a limitação dessa afirmação, é preciso separar claramente o que é considerado como lei física, organizada teórica e experimentalmente na Terra, de sua extrapolação para todo o Universo. Isso porque, além de nossa vizinhança, além do sistema solar, além da nossa galáxia, onde novas formas de interação ocorrem, não é possível manter a mesma descrição dos fenômenos. As leis, o modo pelo qual descrevemos os acontecimentos e suas causas, não são as mesmas.

A forma da lei física se modifica. Ainda podemos falar de organizações de comportamento dos corpos físicos, mas sua estrutura não é isenta de contaminações decorrentes de sua posição. Algumas alterações são suaves, outras tornam a lei irreconhecível. Uma boa parte dessas transformações ocorre graças aos efeitos associados a campos gravitacionais extremamente intensos.

Somente quando reconhecemos essa dependência espaço-temporal, é possível ainda falar de leis guiando os comportamentos dos corpos, determinando diferentes processos e que então devem ser entendidas como orientações cósmicas.

Essas alterações, essas mudanças das leis não afetam observacionalmente os fenômenos em nossa vizinhança terrestre. Por que, então, procurar conhecer as variações das leis no cosmos profundo, se elas não afetam nosso cotidiano?

A resposta é simples: por curiosidade.

Reconhecemos, assim, que além do modo utilitarista, existe esse encantamento em conhecer o universo em que vivemos. Essa, e somente essa, é a razão para procurar entender como se estruturam as leis cósmicas. Nesse caminho, estudando as alterações ainda pouco conhecidas das leis físicas, surge a esperança de que possamos enxergar em que direção o universo se move, e por quê.

A maleabilidade do método científico permite contornar a maior parte das críticas às leis físicas. Afinal, não se transforma uma tradição no modo de pensar graças a uma fórmula de limitação. A ciência se adapta. Mostrarei exemplos para entender as consequências de sua transformação interna, sua adaptação e maquiagem através de um compromisso formal capaz de substituir a indesejável variação da lei por uma estrutura que se presta à identificação em uma nova configuração. A investigação da distorção de uma proposta de Dirac constitui um exemplo desse procedimento majoritário na sociedade dos físicos.

O caso Dirac: reinventando a lei

Como funciona a conversão de uma crítica baseada na variação de uma lei física a uma modificação cósmica, ou seja, aquilo que vimos chamando de passagem da lei física à lei cósmica? Consideremos um exemplo prático desse processo com a sucessão cronológica de uma proposta específica em seis atos. Seus detalhes, por serem técnicos demais para aparecerem aqui, podem ser encontrados nos textos indicados nas referências.

1. Dirac sugeriu, em 1937, a dependência em relação ao tempo cósmico da constante gravitacional de Newton, G. Essa variação não seria observada na Terra; ela só se manifesta em grandes porções do universo, em campos intensos e para grandes diferenças de tempo cósmico. Essa hipótese é devastadora, pois ao aceitá-la toda a estrutura formal da interação gravitacional deve ser transformada. Surge então o processo conciliador realizado diversas vezes no passado, em contextos semelhantes: seria possível modificar a dinâmica da força gravitacional, responsável por estruturar todo o universo, com uma lei mais abrangente? Ou estamos em face de uma instabilidade inesperada que impede organizar uma descrição completa dos processos físicos no universo?
2. Como essa dependência temporal requer uma escolha particular de representação das posições no espaço-tempo,

essa proposta foi generalizada para transformar essa alteração em uma dependência espaço-temporal;
3. A hipótese de variação de (G) foi, assim, metamorfoseada em uma dependência mais ampla, passando a ser representada por uma função matemática, um campo escalar;
4. Com esse novo campo e com a métrica que determina a geometria do espaço-tempo, se construiu uma nova teoria da gravitação, generalizando a teoria da relatividade geral. A nova teoria englobaria, além das variáveis da geometria da relatividade geral, um novo campo. É natural que ela tenha ganhado o nome de teoria escalar-tensorial da gravitação (1961). Havia se passado mais de duas décadas da proposta ingênua de Dirac.
5. Consequência notável da nova teoria: a variação da lei contida na variação da constante de Newton, G, foi eliminada. Ou melhor, foi transcendida e transformada em uma nova lei.
6. Não importa se nenhum fenômeno novo significativo tenha sido observado. Reconstruiu-se a lei, e sua variabilidade foi formalmente escondida. Esse fenômeno de adaptabilidade é genérico.

Uma situação distinta desse caso de Dirac se deu no exame da relação matéria-antimatéria no universo. Para explicá-lo, será preciso seguir um caminho mais técnico, mas ele permitirá fazer o contraponto ao caso anterior e mostrar como é possível outro procedimento na construção de uma ordem no universo controlada por leis cósmicas que não são simples extensões das leis físicas, pois contêm alterações profundas, inadequadas ao esquema anterior. Antes, alguns comentários introdutórios se fazem necessários.

Dependência temporal da força de desintegração (Fermi)

Seguindo a proposta de Dirac, alguns físicos consideraram a possibilidade de que a constante de Fermi das interações fracas pudesse variar com o tempo. No entanto, essa interação tem uma característica muito especial que permite mais de uma possibilidade de variação dentro do esquema de Dirac. Isso se deve ao fato de que, contrariamente às demais interações, a força fraca viola a paridade.

Sabe-se, desde 1954, que a paridade não é conservada na interação de Fermi, o processo elementar que controla a desintegração da matéria, como, por exemplo, no decaimento do nêutron — um dos componentes fundamentais dos átomos — em próton, elétron e antineutrino. Isto significa que a física do lado de lá do espelho tem uma orientação espacial diferente da que observamos do lado de cá. Ora, as forças de longo alcance conhecidas, o eletromagnetismo e a gravitação, não violam a paridade.

Processos como esse, do decaimento de partículas, envolvem sistematicamente o neutrino. Nessa interação, o neutrino participa através de suas correntes vetorial e axial. A primeira, como o nome indica, é um verdadeiro vetor e a outra é o que chamamos pseudovetor, com características semelhantes a uma rotação, possuindo um eixo especial que fixa dois sentidos para uma rotação. Pois na interação de Fermi aparece como elemento fundamental a soma desses dois vetores com igual peso. Isso significa que a violação da paridade é máxima. Foi isso que os físicos Tsung-Dao Lee e Chen Ning Yang propuseram para explicar a taxa de decaimento de partículas instáveis como o nêutron.

Dependência cósmica da paridade

Assim como Dirac havia sugerido a variação das constantes da física clássica, por extensão, sugeriu-se que também a constante de Fermi deveria variar no tempo cósmico. Essa proposta era simples, mas não lançava nenhuma luz sobre a questão mais crucial dessa desintegração: a violação da paridade. Com efeito, a principal questão aqui é: como essa variação afetaria a violação da paridade típica das interações de Fermi? Como ela poderia lançar alguma luz sobre essa violação?

Contrariamente ao caso da força eletromagnética, em que alguma dependência temporal deveria ser atribuída somente à variação da carga elétrica, no caso da desintegração da matéria, a existência de duas formas naturais de interação envolvendo as correntes vetoriais e axiais permite uma possibilidade nova: a dependência cósmica da violação da paridade.

Por exemplo, se a parte axial, responsável pela quebra da paridade, fosse multiplicada por um fator dependente do tempo global, qualquer que seja, variando entre zero e um, ela determinaria a evolução cósmica da violação da paridade. No valor zero, não haveria violação da paridade; no valor 1, essa violação seria máxima. Seria então a violação da paridade um fenômeno dependente do tempo cósmico?

Surge imediatamente a questão: onde uma tal diferença seria observada? Certamente não na Terra, pois a variação do tempo cósmico aqui é totalmente irrelevante. Assim, concluiu-se que essa dependência cósmica apareceria em dois processos principais: na constituição dos elementos químicos leves; e na questão crucial relativa ao por que de existir matéria e não antimatéria no universo.

Qual a origem dos elementos químicos?

Ao longo da segunda metade do século XX, com o desenvolvimento da física nuclear e o estabelecimento das propriedades dos constituintes dos átomos, uma questão crucial para entendermos o universo apareceu: onde são fabricados os elementos químicos no universo? Sabia-se de longa data que os elementos mais leves, hidrogênio e hélio, são os mais abundantes no cosmos. Sabia-se também que dois cenários possíveis para compreender suas origens são a nucleossíntese primordial e a produção no interior de estrelas.

Os elementos mais pesados são entendidos como originários de síntese nas estrelas; mas os elementos mais leves não. A formação de hélio na fase extremamente condensada do universo, nos primórdios da atual fase de expansão, dependia fortemente de processos envolvendo quatro partículas elementares: nêutron, próton, elétron e neutrino. Dessas quatro, a primeira tem um tempo de vida pequeno; as demais são absolutamente estáveis (ou melhor, têm uma vida pelo menos de mais de 10 bilhões de anos). É aqui que emerge a questão da violação da paridade, pois a possibilidade da síntese do elemento químico hélio depende da abundância da razão nêutron/próton como função do tempo cósmico. Como essa razão é controlada pelo decaimento do nêutron, que se dá através das forças microscópicas da interação de Fermi, entende-se a importância do conhecimento da forma como se dá essa desintegração. Consequentemente, a dependência cósmica da interação fraca aparece nesse processo com consequências sobre a evolução futura dos constituintes materiais do cosmos.

A questão da matéria com a qual somos feitos, o olhar no mundo quântico: por que existe mais matéria do que antimatéria?

Os corpos materiais, formados de átomos, se organizam a partir de coleções específicas de prótons, nêutrons e elétrons.

Prótons e nêutrons são membros de uma mesma família: os bárions.

Elétrons e neutrinos são membros de outra família: os léptons.

A microfísica informa que essas famílias só interagem preservando o número de cada membro. Assim, por exemplo, o nêutron é uma partícula instável e se desintegra gerando próton, elétron e antineutrino. Antes da desintegração, havia um nêutron, ou seja, um bárion e nenhum lépton. Depois da desintegração, existe um bárion (o próton) e nenhum lépton, pois o número leptônico do elétron e do antineutrino (mais um e menos um, respectivamente) se cancelam. A função das outras duas partículas (elétron e antineutrino) nessa desintegração é somente compatibilizar outras características do fenômeno, como, por exemplo, preservar a lei de conservação da energia.

Experiências nos laboratórios terrestres levaram à convicção de que em todos os processos físicos o número de bárions é preservado. Tal fato foi alçado à condição de lei física. Os bárions, prótons e nêutrons constituem os tijolos básicos da matéria. Ou seja, o número N obtido pela subtração do número de bárions menos o número de antibárions existentes em uma dada configuração é conservado em qualquer processo.

Uma das questões mais fundamentais da física está ligada à observação de que existe mais matéria do que antimatéria no universo. Sabemos que qualquer partícula elementar possui sua inversa: para o próton, aparece o antipróton, para o elétron, o antielétron, e assim para todos os corpos conhecidos. As propriedades da matéria e sua antimatéria são opostas de tal forma que, em contato, se aniquilam gerando radiação, luz, fótons. Desse modo, qualquer forma de matéria pode ser aniquilada por sua antimatéria: próton pelo antipróton, elétron pelo antielétron, e assim para todas as partículas que existem. A energia necessária para formar uma partícula é a mesma para formar sua antipartícula. Surge então a questão: por que no universo existe mais matéria do que antimatéria?

No interior da matéria, na física das partículas elementares, observamos duas leis:

- O mundo quântico permite a existência de matéria e de antimatéria;
- O número N, que mede a quantidade de bárions menos a quantidade de antibárions, é preservado em todo processo físico.

Devemos então repetir a questão: como entender, à luz dessas duas propriedades, a origem do desbalanceamento matéria-antimatéria no universo?

É bem verdade que se não fosse esse desbalanceamento não existiríamos. Mas dito isso, se o mundo quântico permite a presença de matéria e de antimatéria, qual a razão desse desbalanceamento? Não podemos aceitar que se trata de dado inicial desse universo, pois isso não faz parte da máxima que orienta o pensamento científico.

A solução proposta para resolver essa dificuldade é bastante distinta do caso Dirac e mostra de modo explícito a emergência mais significativa da passagem, no imaginário científico, das leis físicas aos processos cósmicos, e foi proposta por um físico russo.

A solução Sakharov

O cientista A. Sakharov é bem conhecido pelo seu papel no desenvolvimento da bomba de hidrogênio da antiga União Soviética. Contudo, poucas pessoas, fora do mundo científico, conhecem uma outra faceta mais fundamental de seu trabalho de pesquisa. É dele um dos momentos mais belos na compreensão do universo. Tratarei dele agora. Em um primeiro momento, a proposta de Sakharov pareceu esdrúxula, mas ele conseguiu mostrar que qualquer solução distinta de sua proposta deveria obedecer certos princípios indispensáveis para que as condições de formação de excesso de matéria sobre antimatéria pudessem ter ocorrido.

O programa de Sakharov requeria que, em um certo período da história do universo, processos de violação da lei de conservação do número bariônico devesse ter ocorrido. Onde isso se passaria? Sakharov sugere que o lugar natural para esse efeito seria o momento de máxima contração possível do universo, que poderia ser identificado ao começo de tudo — o cenário big bang — ou seria um simples momento de passagem a separar duas fases da dinâmica de evolução do universo – o cenário de Universo Eterno. Restava a questão: como isso teria ocorrido?

Maximons e a inversão temporal de um Universo Oscilante

Durante o verão de 1971, no International Centre for Theoretical Physics, na cidade italiana de Trieste, o físico M. A. Markov apresentou novidades que tratavam de dois mundos, entendidos, até então, como totalmente independentes: o universo em sua grandiosidade e o mundo da microfísica. Suas palestras se transformaram em um verdadeiro curso intensivo, cujo título despertou enorme curiosidade: *Cosmology and elementary particles*.

Uma proposta extremamente ousada foi ali apresentada sobre a possibilidade de existência de partículas que ele chamou *friedmons*, em homenagem ao cosmólogo A. Friedmann, o cientista que exibiu a primeira solução analítica das equações da relatividade geral representando um Universo Dinâmico singular.

A ideia consistia na junção de duas geometrias, soluções independentes das equações da teoria da relatividade geral, descobertas por Karl Schwarzschild e Friedmann. Elas representavam, respectivamente, o campo gravitacional gerado por um corpo massivo compacto — como uma estrela – e um Universo Dinâmico, em expansão ou colapso. Markov considerou antigas ideias que permitiam construir uma configuração híbrida contendo essas duas geometrias. Um núcleo central massivo gerando uma métrica de um corpo compacto (a geometria de Schwarzschild) estendendo-se de tal forma a se transfigurar na geometria de um universo em expansão (a geometria de Friedmann). Ato seguinte, Markov inverte essa estrutura, considera um Universo de Friedmann que pode ser continuado como uma métrica de Schwazschild. Como se um universo, este universo, pudesse ser interpretado como o interior de uma partícula elementar de um outro universo — uma ideia que muitas crianças, desconhecendo as leis da física, já haviam imaginado.

Conjeturar que o interior de uma partícula elementar possa ser descrito como um universo e, a partir desse universo, associar movimento e interação a esse corpo, é certamente uma ideia fantasiosa. E, no entanto, ela pode ser formalmente construída no interior da teoria da gravitação de Einstein. Foi o que Markov ensinou.

Esses *friedmons* ficaram também conhecidos sob o nome de maximons. Isso se deve à sua característica principal: ser a partícula mais pesada que a teoria da gravitação permite existir. Com efeito, essa sua massa M valeria 0,00002 gramas, sendo fantasticamente maior do que, por exemplo, a massa de um próton, que vale 0,000000000000000000000001 gramas.

Sakharov utilizou essa fórmula argumentando que a presença desses extremamente pesados *friedmons* em uma fase anterior de contração do universo provocaria um desequilíbrio termodinâmico e um excesso de antiquarks; posteriormente, ao passar por um *bouncing* singular, eles decairiam, produzindo um excesso de quarks na fase de expansão atual do universo. Os *quarks* são os tijolos com os quais são construídas partículas elementares, como, por exemplo, prótons e nêutrons. A hipótese maior que daria sentido a essa proposta reside na aceitação de que globalmente o universo é invariante pelas transformações unidas CPT, ou seja, inversão da carga (C), inversão espacial (P) e inversão temporal (T). Assim, um excesso de antimatéria em uma fase colapsante do universo se transformaria em um excesso de matéria na fase de expansão.

Um modelo tão simples se depara com uma enorme dificuldade, a saber, a existência da singularidade cósmica. Isso porque sua presença, significando valores infinitos para quantidades fisicamente relevantes como a densidade de energia e a temperatura ambiente, apagaria toda informação de uma eventual fase colapsante no Universo Primordial. Sem pensarmos na questão da origem do desbalanceamento inicial favorecendo a antimatéria (que deveria, nesse cenário, ser entendida como uma condição inicial no infinito temporal passado).

No modelo de Sakharov, a compreensão do excesso de matéria sobre antimatéria no universo dependeu de vários fatores, entre os quais, principalmente, a violação da conservação do número bariônico que mede a diferença entre os bárions e os antibárions. Vimos que uma das leis mais fundamentais no mundo quântico estabelece que todos os processos que podem ocorrer na natureza devem preservar o número total N obtido pela subtração do número de bárions menos o número de antibárions existentes no universo. Por exemplo, quando o nêutron se desintegra, ele dá origem a um próton e a duas outras partículas (elétron e neutrino) que não são bárions. Ou seja, havia um bárion (o nêutron) e, após a desintegração, resta ainda apenas um bárion (o próton). A função das outras partículas é somente compatibilizar outras características do fenômeno, como, por exemplo, preservar a conservação da energia.

Pois Sakharov argumentou que, em algum momento na história do universo, processos permitindo momentaneamente a violação dessa regra fundamental deveriam ter ocorrido. Os físicos aceitaram essa argumentação como um caminho para explicar a assimetria matéria–antimatéria observada no universo. Vimos que essa violação, segundo Sakharov, só poderia ter ocorrido nos momentos iniciais da atual fase de expansão do universo, quando ele estava submetido a uma intensidade do campo gravitacional fantasticamente grande. Esse processo seria mais compreensível se o universo tivesse passado por uma fase colapsante anterior. É necessário lembrar que, naquele momento, acreditava-se ser verdadeira a ideia simplista de que o universo teria tido seu começo em um evento "explosivo", o chamado cenário big bang. Naquela década (1960), não se conhecia nenhum modelo cosmológico oscilante, satisfazendo as equações da teoria da relatividade geral, que tivesse uma forma analítica fechada para sua geometria, representando um universo com uma fase colapsante primordial que, depois de passar por um momento único de máxima condensação e realizar um *bouncing*, entraria na fase atual de expansão. Independentemente da construção desse cenário completo, mas acreditando em sua intuição, ele imagina que o universo poderia ser oscilante, mesmo passando através de um ponto singular, o que em termos formais é uma contradição. Foi necessário esperar uma década para que cosmólogos da antiga União Soviética e do Brasil conseguissem construir formalmente cenários não singulares de um Universo Eterno. Curiosamente, o cenário big bang continuou ainda hegemônico por mais duas décadas.

No entanto, esse papel crucial da gravitação como geradora de quebra de simetrias no mundo microscópico foi deixado de lado por um bom tempo, pois embora aceito, o princípio de acoplamento não mínimo foi considerado pouco comum, excepcional. Em particular, como tivemos oportunidade de ver, ele foi bem-sucedido no caso da geração de massa. Graças a isso, o papel atribuído por Sakharov à gravitação na explicação do desbalanceamento entre matéria e antimatéria no universo voltou, recentemente, a ser novamente considerado.

Assim, reconhecemos o papel crucial da gravitação nas alterações das leis físicas e, como no caso de não conservação do número bariônico no universo, exibe-se a dependência da lei para com o tempo explicitamente. Ou seja, ao introduzir efeitos gravitacionais em diferentes processos físicos, altera-se profundamente o modo de entender a dependência temporal das leis da física, que devem então ser pensadas como dependentes da evolução do universo, por um mecanismo inusitado.

Alternativas das orientações cósmicas

Esses dois exemplos (Dirac e Sakharov) mostram modos distintos de lidar com configurações cósmicas:

- Transformar a teoria para manter a ordem construída na física terrestre, afirmando a validade global das leis;
- Aceitar a violação da lei física em algum momento na história da evolução do universo e inseri-la em uma estrutura maior da qual a lei cósmica é um exemplo.

No primeiro caso, temos o primado da ordem da física terrestre; no segundo, processos novos de caráter global, impossíveis de se manifestarem em nossa vizinhança, aparecem produzindo a abertura para uma desconhecida orquestração do comportamento do universo em momentos especiais, entendidos como violações das leis físicas terrestres.

As ideias de Sakharov e de outros, sugerindo violação da lei física terrestre em outros contextos cósmicos, não se restringe a uma contemplação convencional das alternâncias das certezas científicas. Ela exige alterações maiores na interpretação dos fenômenos. A questão da predominância de matéria sobre antimatéria no universo observável é uma dessas.

Podemos, então, reconhecer que a dependência cósmica das leis físicas não trata da análise de um momento comum no interior de uma atividade científica, mas, sim, mostra que estamos em face de uma questão maior que transborda para outros saberes exigindo uma crítica do status da lei física. Esse movimento, se levado a seus limites, pode certamente alterar o papel da ciência na ordem social, o que meus colegas cientistas sempre consideraram como um sonho irrealizável, uma utopia.

Conclusão

Os exemplos descritos acima, referentes a processos globais controlados pela interação gravitacional, mostram o caminho a percorrer para entender a razão pela qual se pode considerar que a natureza possivelmente está ainda em formação, não somente em processos e fenômenos, mas na constituição de suas próprias leis.

Essa dependência global impõe limites no processo de generalização das leis físicas e constitui uma forma de entender o alcance dessas leis afirmando sua dependência cósmica, em substituição a uma configuração fixa, universal e independente do tempo que sempre foi considerada como uma hipótese natural. Essa mudança de atitude gerada na cosmologia, consequência de uma nova descrição do cosmos, induz o abandono do antropocentrismo que dominou, desde suas origens, o pensamento científico. A cosmologia, examinando essa dependência das leis da física para com o tempo cósmico, leva a sustentar, de modo semelhante às teses de Marx e Engels, que toda ciência deve ser histórica.

Liberdade na física, no direito, na filosofia: inesperadas semelhanças

(Afirmações similares na ciência e em outros saberes)

1. Há uma aceitação implícita de que certos conceitos usados nas ciências humanas, quando possuem similar nas ciências da natureza, adquirem nessas um caráter absoluto que não é possível encontrar quando se trata de questões humanas. Veremos que, em alguns casos, isto é uma falácia.

Para sustentar essa afirmação, não há exemplo mais claro do que comparar o conceito de liberdade utilizado nas ciências naturais, como a física, com seu similar nas ciências humanas, seja ela a psicologia ou o direito.

Dito isso, quero deixar claro que não é minha intenção apresentar um desenvolvimento sociológico ou filosófico da atividade científica. Minha análise se organiza a partir do território da física.

Reconhece-se em geral que, ao tratar da liberdade no interior das ciências humanas, estamos em face de um conceito que não estabelece uma condição absoluta. Para isso, basta comparar como a liberdade é tratada na justiça e na filosofia, em Sartre, Spinoza ou Nietzsche, por exemplo.

Lemos em Sartre que um prisioneiro pode ser mais livre do que um rico burguês subjugado a seu desejo de sucesso; Spinoza pergunta "o que pode um corpo?"; em Nietzsche a questão se coloca sobre quem é livre, o senhor ou o escravo?

Em uma ciência *dura*, como a física, se aceita, sem necessidade de reflexão maior, a ideia de que a liberdade de uma coisa, de um corpo, seja um conceito absoluto. Essa certeza decorre da identificação do termo liberdade à observação repetida para saber se um corpo está ou não submetido a uma força externa.

Essa característica associada à liberdade aparece igualmente em outros conceitos que implicam a identificação do caráter formal vago, líquido, contestável, relativo, das afirmações nas ciências humanas; e, por oposição, afirmam em contraste o caráter impositivo, sólido, incontestável, absoluto, das afirmações nas ciências da natureza.

No entanto, uma reflexão menos superficial, baseada em recentes descobertas, permite constatar que essa diferenciação não é totalmente correta. Ou melhor, essa distinção não deve ser entendida desse modo simplista, atribuindo às afirmações nas ciências humanas uma relativização cuja função é enfraquecer suas certezas e, por oposição, conceder um status superior aos enunciados das ciências físicas, distinguindo nessas um caráter de veracidade absoluta.

2. Na sociedade dos homens a liberdade é relativa; na ciência física, a liberdade das coisas é absoluta?

Uma vez mais, a lei física requer uma reflexão crítica sobre sua interpretação convencional, para esclarecer o alcance, a intensidade de sua aplicação e seu contexto. Aqui, não se trata de uma interferência cósmica, como ocorre na cosmologia moderna, e sim da dependência da representação, do modo como o fenômeno é descrito. Dizer que uma partícula, um planeta, uma estrela, um objeto, uma coisa é livre depende do modo pelo qual cada uma delas é representada. Ou seja, na ciência o conceito de liberdade é relativo, de modo semelhante como é interpretado na sociedade humana.

Uma tal afirmação requer um comentário técnico para justificá-la e, para isso, recorreremos a três momentos na fixação de ideias centrais na física contemporânea.

Antes, uma observação genérica. Na física, afirma-se que um corpo é livre se sobre ele não existem forças externas atuando. Nesse caso, seu movimento inercial é descrito por caminhos no espaço-tempo chamados geodésicas. Ou seja, a geodésica é a trajetória de um corpo sem que sobre ele esteja atuando uma força externa. Note que mesmo quando observamos, em nosso cotidiano, um corpo em repouso (em uma determinada referência espacial), ele segue um caminho (uma geodésica) no espaço-tempo quadridimensional: a continuidade temporal o exige.

3. **Reconhecemos três leis físicas fundamentais que descrevem completamente todos os movimentos dos corpos envolvendo teorias da relatividade, que se distinguem pelos qualificativos especial, geral e métrica.**

- Cada coisa, cada observador, possui um tempo próprio distinto dos demais. Essa propriedade permite organizar uma estrutura métrica quadridimensional espaço-tempo estática e única, chamada geometria de Minkowski;
- A ação de uma força gravitacional, por ser ela universal, pode ser eliminada através da modificação da arena onde o fenômeno se passa, a geometria de Minkowski, gerando uma nova geometria que controla dinamicamente as distâncias no espaço e no tempo;
- A prática de estender o método de eliminação da força gravitacional para qualquer outro tipo de força pode ser realizada através da construção de uma nova geometria específica, uma para cada corpo.

Esses três momentos merecem comentários adicionais.

4. Relatividade especial

Uma das consequências mais notáveis da teoria da relatividade especial (H. Poincaré e A. Einstein, 1904) foi a substituição de um único tempo comum a todos os corpos por uma infinidade de tempos próprios, um para cada corpo ou observador. Dessa forma, a tradicional geometria euclidiana, usada no cotidiano e dominante na física clássica, foi substituída por uma outra geometria, na qual, além das três dimensões do espaço, se acrescenta uma dimensão temporal. Nessa descrição, cada observador passa a ter um tempo próprio e a noção de simultaneidade passa a depender de seu estado de movimento. Essa transformação de um tempo único universal em uma miríade de tempos, um para cada observador, retirou de cena o tempo absoluto newtoniano.

5. Relatividade geral

Em um momento posterior, na década de 1920, o aparecimento da teoria da relatividade geral (A. Einstein, 1915), que nada mais é do que uma teoria da gravitação associada à modificação da geometria, induzida pela distribuição de matéria e energia, retirou o caráter imutável, rígido, estático da estrutura minkowskiana.

A geometria experimentada por um corpo, aquilo que caracteriza distâncias no espaço e no tempo, adquiriu assim uma estrutura variável, dependente da interação com outros corpos, ou melhor, dependente da quantidade de matéria e energia presentes. A universalidade da gravitação – isto é, o fato de que todos os corpos sentem a ação da força gravitacional – foi responsável pela modificação da geometria do mundo, pelo reconhecimento de que toda matéria, tudo que existe, está imerso em uma única e global estrutura geométrica. O caráter universal da interação gravitacional fixa uma única geometria, onde tudo que existe está mergulhado nessa totalidade espaço-tempo.

Desse modo, a ação da força gravitacional é identificada à transformação da geometria por onde o corpo físico se movimenta. Nesse procedimento, a gravitação é formalmente eliminada, reaparecendo travestida sob a forma de modificação da geometria. Ou seja, o fenômeno gravitacional passa a ser interpretado como se não houvesse a força gravitacional: o movimento dos corpos materiais é descrito como se eles seguissem caminhos livres, mas em um espaço-tempo de geometria variável. Esses caminhos onde nenhuma força atua são as geodésicas. Assim, pode-se afirmar que a força gravitacional não existe strictu sensu, pois foi substituída pela modificação universal (sentida por todos os corpos) da geometria onde o corpo se encontra.

O caminho, livre de qualquer força, é identificado com as curvas geodésicas definidas pela geometria. Nesse contexto, pode-se afirmar que um corpo é livre se sobre ele atuam somente o que tradicionalmente chamamos forças gravitacionais.

Recentemente, esse método de eliminação da força gravitacional por uma geometrização especial foi generalizado para poder ser aplicado a todos os tipos de forças.

6. Relatividade métrica

Um corpo atuado por qualquer força (não gravitacional) não é livre. Tal descrição permitiria caracterizar de um modo absoluto o que chamaríamos "liberdade na física". Pois bem, muito recentemente, descobriu-se que esse não é o caso, e que a noção de "corpo livre" depende igualmente da estrutura métrica do espaço onde esse corpo é descrito. Dito de outro modo: um corpo submetido a uma força de qualquer tipo, em um dado espaço-tempo, pode ser descrito, de modo equivalente, como se estivesse livre de qualquer força, desde que ele passe a ser descrito como se estivesse mergulhado em uma outra geometria específica, dependente das propriedades de movimento do próprio corpo. Isso significa que cada corpo possui uma "sua" geometria, na qual o efeito da força externa que sobre ele atua é substituído pelas propriedades da geometria onde o corpo passa a ser descrito.

Ainda que, à primeira vista, se trate do mesmo procedimento realizado na Teoria da Relatividade Geral, há, no entanto, uma diferença notável: no caso gravitacional, essa mudança da geometria é universal, ou seja, independe de qualquer característica do corpo em questão; enquanto no caso de um corpo qualquer atuado por uma força não gravitacional, a alteração das distâncias espaço-temporais depende da dinâmica particular do corpo. Mesmo não tendo um caráter universal, devemos reconhecer que esse procedimento produz um resultado notável: a substituição dos efeitos da aceleração de um corpo atuado por força de qualquer natureza por um caminho geodésico em um espaço-tempo de geometria modificada. O corpo, desprovido de aceleração nessa geometria efetiva, é então considerado como um corpo livre.

Recentemente, esse mecanismo de transformar a descrição de processos dinâmicos exercidos por forças de qualquer natureza por alterações na geometria, por onde o corpo se movimenta, mostrou ser bastante geral e pode ser aplicado a todo tipo de força e a qualquer corpo físico. Isso leva a um modo novo de descrever processos dinâmicos, que consiste naquilo que chamamos teoria da relatividade métrica.

7. Desconstruindo o espaço-tempo

A evolução da estrutura da geometria do espaço-tempo, desde o começo do século XX até os dias de hoje, pode então ser descrita por três momentos principais de síntese, a saber:

- A relatividade especial, no começo do século XX, se fundamentou sobre o princípio de que cada observador possui um tempo próprio e se movimenta em um espaço-tempo único, possuindo uma geometria estática, sem curvatura e absoluta;
- A relatividade geral, na segunda década daquele século, alterou essa geometria mantendo sua universalidade, mas tornando-a variável;
- A relatividade métrica, no século XXI, se baseia no princípio de que cada observador, sobre o qual atuam diferentes forças, institui sua própria geometria, onde as forças que atuam sobre ele são formalmente eliminadas. Como a geometria resultante (aquela onde o corpo está livre de qualquer ação e se movimenta ao longo de uma geodésica nessa geometria associada) depende do movimento, concluímos que cada corpo possui uma sua geometria particular, na qual ele é um corpo livre, isento de qualquer ação externa.

Essa eliminação da força pela caracterização de uma geometria específica para cada corpo é uma simples questão de escolha de representação. Surge, então, uma novidade inesperada: a liberdade dos corpos na física depende da representação escolhida. Assim como na sociedade, onde a liberdade é relativa, também na ciência física, contrariamente ao senso comum, a liberdade das coisas não tem caráter absoluto.

O infinito e as formas físicas

Quando perguntado sobre se preferia ter nascido ou não, Anaxágoras respondeu, sem hesitar, que preferia ter tido essa experiência de vida. E por quê? "para poder admirar o cosmos".

Preâmbulo

Em uma série de palestras organizada ao longo de 2014, pelos professores Ana Luiza Nobre e Antonio Sena, no Departamento de Arquitetura da Pontifícia Universidade Católica do Rio de Janeiro - PUC/RJ, chamada *Limites Incertos*, desenvolveu-se seis temas:

1. CRÍTICA
2. TOPOLOGIA
3. CONTEMPORANEIDADE
4. INFINITO
5. DIAGRAMA
6. FUTURO

Quando recebi o convite para tratar da proposta número 4, estava lendo um texto que, por sincronicidade, consistia igualmente de seis palestras. Italo Calvino, em seu belíssimo livro *Seis propostas para o próximo milênio*, escolheu seis temas que desenvolveu e que constituiriam suas Charles Eliot Norton Poetry Lectures, a serem apresentadas sob forma de lições na Universidade Harvard, no ano acadêmico de 1985-1986, o que nunca aconteceu. Essas lições incluíam:

1. LEVEZA
2. RAPIDEZ
3. EXATIDÃO
4. VISIBILIDADE
5. MULTIPLICIDADE
6. CONSISTÊNCIA

Não tenho nenhuma informação que me permita imaginar alguma conexão entre as conferências *Limites Incertos* e as lições americanas de Calvino. Ao contrário, parece-me que esses seis temas foram escolhidos porque cada um deles tem um alcance tal que permite uma ruptura de visões convencionais e, assim, torna-se possível produzir uma abertura que conduz naturalmente a aceitar que suas fronteiras não estão rigidamente preestabelecidas. Isso lhes garante uma unidade que nos envolve e que está associada a cada um desses temas pela ausência de limites rigorosos, precisos, definitivos, certos.

No entanto, curiosamente, me pareceu, por breve momento, que cada uma dessas nossas conferências pudesse se relacionar às lições americanas. Não tenho a pretensão de propor essas conexões às demais conferências, mas a proposta quatro, o tema que me foi sugerido apresentar, o infinito, parece sim ter uma representação nas propostas de Calvino. Assim, ao longo dessa palestra, espero mostrar que, na questão infinito, encontramos a necessidade da exatidão, no rigor matemático; a visibilidade, na observação da totalidade do que existe além de qualquer horizonte limitador; a multiplicidade, nas incontáveis formas que constrangem a referir o mundo como uno; a consistência, na forma de inserir o infinito no corpo completo das matemáticas e de suas leis, e formas para delas não se afastar nem colidir; a rapidez, nos modos pelos quais o infinito penetra todo discurso aberto sobre o mundo; e, finalmente, a mais importante das lições de Calvino, a leveza, pois o peso dessa quantidade de coisas e eventos reais e imaginários — descritas com conceitos que requerem uma infinidade de representações e intenções — deve ser diminuído, para que a carga da existência não retire o encantamento e a beleza da poesia que a investigação do universo, de todos os universos, deve conter.

Introdução

Esse texto estava destinado a ser lido durante minha palestra. Entendi, em um primeiro momento, logo após ter aceitado o convite para participar desse seminário, que, sim, é possível comentar sobre o infinito em uma aula, embora isso reduza e muito sua análise, como também não permite colocar as questões que eu gostaria de apresentar a meus colegas. Porque, creio eu, é precisamente para adotarmos essa atitude de diálogo que fomos reunidos, para realizarmos uma discussão aberta, propor perguntas e procurar respostas que podem ser encontradas de diversos modos e confrontá-los harmoniosamente, mesmo quando se trata de posições que se qualificam como opostas e irreconciliáveis. Assim, mesmo que nosso trabalho tenha que ser provisório e fragmentado, proponho começar nossa caminhada pela enumeração das questões a que uma análise do infinito nos conduz.

As várias faces do infinito

Minha formação de cientista me induz a tratar a questão do infinito sob o olhar de um físico, de um matemático e de um cosmólogo. No entanto, fui levado a aceitar que escutássemos outras análises e perseguíssemos outros caminhos, ainda que eu não me sinta totalmente à vontade neles. Não consegui evitar que algumas questões fora dessa análise técnica se infiltrassem e me levassem para esses territórios. Devo confessar, no entanto, que poderia ter resistido a essa tentação, mas alguma coisa me impediu, induzindo-me a percorrer esse desvio. Aproveito então esse momento para sintetizar alguns desses diferentes modos que podemos usar para nos aproximar do infinito, sabendo a priori que nunca o alcançaremos, que faltará sempre um passo para atingirmos a compreensão que nos satisfaça. E por que isso? É o que tentarei esclarecer.

Em um primeiro momento, distinguimos alguns territórios naturais para esse exame: a matemática e a lógica, a física e a cosmologia. Há uma outra vertente, de caráter psicológico e, enfim, a investigação filosófica e os filósofos do infinito. Tal análise deveria exibir as variadas formas de aparição do infinito envolvendo uma multiplicidade de tópicos, dentre os quais podemos particularizar os seguintes:

1. A aparição fantasmagórica, imprecisa, do infinito no começo da ciência moderna;
2. O infinito, o universo e os mundos: Giordano Bruno;
3. Deus e o infinito;
4. Sísifo e a eternidade da angústia;
5. Um só infinito? A entrada em cena de um visionário maravilhoso. Georg Cantor e os transfinitos;
6. O horror metafísico do infinito na física do século xx;
7. Exaltação do zero: a produção do que existe a partir do que não existe nas lições da física do século xx (mundo quântico e gravitação);
8. Sobre o infinito, o que diz a cosmologia?
9. Catástrofes cósmicas;
10. Caminhos que não levam a lugar algum;
11. Bifurcação no cosmos: como construir somente um cosmos?
12. U-topia e U-chronos (fora do espaço e fora do tempo);
13. A representação infinita.

Eu me limitarei aqui a visitar alguns desses tópicos. Para começar nossa caminhada, escolhi recorrer a Giordano Bruno.

Poderia procurar muito lá atrás, em Euclides, nos filósofos gregos que refletiram sobre o uno e o múltiplo e, consequentemente, tiveram que enfrentar o zero e o infinito. No entanto, minha escolha se deu porque Bruno encara fortemente o destino trágico que permeia o pensador que ousa ser diferente, pensar contra o *establishment*, se opor ao que a sociedade dos sábios consagrou como verdade. E porque Bruno simboliza esse caminhar inevitável para o fogo que consome.

Infinitos mundos

Giordano Bruno, no século XVI, antes de ser queimado vivo no Campo dei Fiori, em Roma, se dedicava, entre outras coisas, a entender como conciliar a multiplicidade dos infinitos mundos que constituía uma das bases de sua cosmogonia e a unidade de Deus. Em seu texto *Acerca do infinito, o universo e os mundos* encontramos um longo discurso envolvendo duas afirmativas: o homem é finito. Deus é infinito. Da aceitação da infinitude espacial conclui que o universo é eterno, e, a partir daí, baseando-se nessas certezas, encontra o estofo com que constrói sua religiosidade. Identifica Deus com esse Universo Múltiplo e institui seu discurso de exaltação divina usando as propriedades do infinito, dando origem ao estabelecimento de um modo bem distante do sistema religioso, então no poder, e que acarretará sua desgraça.

Bertrand Levergeois, seu tradutor para o francês, argumenta que Bruno não sonhou esses outros mundos, não os colocou como uma forma de proposição fantasiosa, como uma ficção científica, mas, sim, apresentou-os como consequência de um pensamento racional, a partir de premissas e conhecimentos que tinha à sua disposição, e cujo discurso obtinha validade graças à sua coerência interna. Giordano Bruno não se deixava levar, como alguns de seus contemporâneos, a apoiar-se em propostas fantasiosas para reformar a sociedade — como encontramos em Thomas More e sua *Utopia* (1516), *A Nova Atlântida* de Francis Bacon (1627) ou *A cidade do Sol* de Campanella (1623).

O projeto de Bruno não se restringe a propostas de mudanças, pequenas ou grandes, que poderiam ser produzidas na sociedade, provocando o aparecimento de um novo homem. Ao inverter o procedimento convencional, a ambição de Giordano Bruno vai muito além: ele propõe, ao reformar o céu, gerar uma nova visão do mundo e, consequentemente, adaptar o destino humano à sua cosmologia. E somente então, a partir dessa grandiosa reforma, tomando como ponto de partida uma visão da multiplicidade do que existe, apoiando-se na certeza apriorística, e para ele evidente, de uma profunda conexão entre a finitude do mundo terrestre e o cosmos infinito, só então seguiria daí uma natural, consequente e profunda reforma da sociedade. É a abertura e o conhecimento dos mundos infinitos que permitirá que compreendamos a nós mesmos. Levergeois conclui afirmando que o caminho escolhido por Bruno permite imaginar que, para ele, é a lógica do infinito que determina, em última análise, toda a história social. Ao invés de construir um cosmos a partir da racionalidade da ordem social que lhe era oferecida por seus pares, inverte os fundamentos desse modo, preferindo atribuir ao universo a imagem a ser perseguida na estruturação da sociedade humana. Posto *manu militari* a decidir sobre seus propósitos terrestres e seu futuro, sendo-lhe imposta a questão da escolha entre render-se aos processos que a cidade lhe cobra, com ênfase na tragédia da finitude da vida, ou o esplendor do cosmos infinito, Giordano Bruno não hesita. E como prêmio, como se lhe fosse dado servir como exemplo para aqueles que não comungam da ordem exercida pelo poder do Estado, foi queimado vivo em 1600.

Finitude do homem, infinitude divina

A evidência da finitude humana e a hipótese da infinitude de Deus foram reconhecidas como verdades estabelecidas ao longo da história da humanidade, desde seus primórdios. Uma tal relação, simples, ingênua mesmo, produziu-me intuitivamente uma associação — que num primeiro momento me pareceu estranha, esdrúxula — que desembocou em uma analogia inusitada entre arcaicos mitos e algumas propostas recentes da ciência. Fui levado, nessa divagação, a imaginar que seria possível associar o destino de Sísifo, herói grego, ao matemático Georg Cantor, a partir de certezas matemáticas por ele formuladas no século xix. Como essa conexão me apareceu? E como dar sentido a essa relação? É o que farei no texto que segue. Antes, porém, alguns comentários preparatórios se fazem necessários.

Tratar a questão do infinito me fez pensar nos meandros pelos quais o sentimento de finitude humana é entendido como um problema. É a partir desse ponto de análise, centrado em uma preocupação humana convencional, cotidiana, que posso começar a investigar a seriedade da solução que levou à necessidade de introduzir essa aparição, o infinito.

Não quero tocar a questão do horror gerado pela angústia da finitude da vida. Essa não é minha função. Deixo essa tarefa para meus colegas filósofos e psicólogos que podem cuidar desse tema com propriedade, como Kierkegaard e outros, desesperados com essa finitude. Não posso me furtar, no entanto, a comentar, embora brevemente, essa questão que identifico como associada ao sentimento trágico da existência que percorre nossa civilização (como descrito por Sartre e outros), mesmo se me limito às questões que a ciência colocou a esse respeito.

Vivemos um modo finito. Para nos livrar dessa limitação, avançamos sobre nossos desejos e produzimos o infinito. A aceitação do infinito transforma essa angústia e expande os caminhos por onde procurar o significado da existência.

Esse discurso me conduz para um território que se assemelha mais a um labirinto do que a uma estrada a ser seguida, mesmo que ela não me conduza ao imprevisível, e sim a uma angústia. Não é esse meu intuito aqui. Não pretendo situar minha análise no centro de uma discussão existencial, mas enumerar umas poucas propostas que construímos para dar sentido a essa estrada que não termina. Para isso, organizei uma lista das questões que a análise do infinito, em um contexto científico, produziu. Vamos então começar com um comentário envolvendo um mito grego e um matemático alemão do final do século XIX.

Sísifo e a eternidade da angústia

Talvez uma das imagens mais dramáticas da angústia associada ao sentimento da eternidade seja o castigo a que Sísifo foi submetido por sua ofensa aos deuses gregos. Ele deveria arrastar uma pedra do sopé até o alto de uma montanha e, ali chegando, deixá-la rolar montanha abaixo, para em seguida conduzi-la novamente ao alto, deixá-la rolar novamente e assim sucessiva e eternamente. Segundo Camus, os deuses haviam pensado, com alguma razão, que não existe castigo mais terrível do que um trabalho inútil e sem esperança.

Essa sequência infindável de uma ação inútil é, sem dúvida, de um trágico terrível. No entanto, esse esforço contínuo, esse castigo que requer um trabalho físico superior e que impõe um desgaste formidável ao corpo, seria pequeno, menor mesmo, se sua ênfase se limitasse ao corpóreo. O destino de Sísifo só é verdadeiramente trágico ao compreendermos que, associado ao castigo de seu corpo, se encontra um não acabar mais de sua consciência. É essa infinitude consciente que lhe dá seu caráter dramático e infeliz.

Mas nós, humanos, não vivemos no encantamento dos mitos. Para interromper esse destino e encerrar o castigo, o homem encontrou a morte. Essa ruptura de uma sequência única e pessoal, intransferível, que amedronta e encanta, permite explicitar que, afinal, a eternidade nada mais é do que uma expressão vazia e sem sentido, que amedronta e persegue. Para esvaziá-la de seu mal-entendido existencial, tentamos domá-la pela razão e, isso aceito, não parece existir forma mais eficiente para fazê-lo do que controlá-la pelos aparelhos impessoais ofertados pela lógica.

Sim, fizemos isso. E mais até, pois os matemáticos não se limitaram a produzir uma forma racional para pensar a noção de infinito a partir da teoria dos conjuntos, foram bem além: produziram uma infinidade de infinitos!

A proteção máxima ou Cantor, esse Sísifo moderno

Assim como os antigos, mergulhados em um modo místico, identificavam o infinito como a qualidade que permite definir a grandeza divina por excelência, podemos também, sem incorrermos em erros ou desvios, reconhecer uma outra vertente, de natureza psicológica, que se insere insistentemente no imaginário coletivo associada à noção de infinito.

Do mesmo modo que limita, o infinito concede a máxima proteção e controle. O domínio que ele cerca, e que transforma uma fronteira de passagem em portas intransponíveis de uma prisão, não pode ser penetrado por invasores de fora, como também não permite dali sair. A analogia com nosso corpo é evidente, mas pode ser mais do que isso: se exploramos essa conotação linguística, indo além da superficialidade de uma metáfora, acabamos por penetrar em uma dimensão nova e construir uma ponte entre a alma humana e uma questão que aparece no primeiro momento de natureza científica e impessoal, típica de sua pertinência ao território da matemática ou da física.

Há, na verdade, uma dupla função: o infinito protege e castra, como todo limite que não pode ser ultrapassado. Mas se trata de uma ilusão, como um tigre de papel, não é real, não está ali como um verdadeiro animal a defender seu território. Trata-se de uma invenção, a produção de uma imagem, nada mais do que isso. O infinito, assim pensado, deve ser temido ou desejado?

Afinal, estamos em face de uma vertente psicológica (devemos procurar proteção e esquecer o mundo do lado de lá dessa fronteira de muro infinito) ou de uma postura lógica (consequência do estabelecimento rigoroso de uma razão matemática e de regras não autocontraditórias completas)? Ou se trata de uma imposição da natureza, dos fenômenos do mundo que a ciência observacional detecta e que horroriza os cientistas com a possibilidade de situações-limite que envolveriam valores infinitos de forças a requerer uma alteração na descrição desses processos ou a limitar o alcance da observação – de uma vez para sempre?

Essa proteção que os lógicos organizaram ao desenvolver o conceito de infinito permite que a angústia do além, do inalcançável possa ser gerida. Quando, ao final do século XIX, essa proteção já se estabelecera formalmente na razão matemática, quando a noção de infinito ocupava já um lugar convencional na ciência, eis que chega Cantor, produz uma reforma profunda e destrói essa paz.

E fez-se então de novo o desespero com Cantor. Não porque ele negou o infinito e nos expôs novamente a um território sem limites, sem proteção absoluta, mas porque alargou desmesuradamente essa função na formação de vários infinitos, multiplicando seu alcance a um nível jamais visto e que uma vez mais anuncia a chegada de uma angústia cósmica, desta vez a mais absoluta. Muito além da figura de um deus com poder infinito, a matemática reconheceu que a representação dos poderes envolvendo processos de intensidade infinita, tradicionalmente associados a uma função divina, podem ser menores, bem menores, infinitamente menores do que novos e múltiplos infinitos que a razão, pelas mãos de Cantor, conseguiu produzir. Como consequência natural, essa estrutura formal, que passou a permitir a realização de operações com esses infinitos gerados por Cantor, produziu no imaginário transcendental a diminuição da função do deus infinito que até então pairava absoluto sobre o mundo.

O matemático Georg Cantor, esse Sísifo dos tempos modernos, produziu uma reforma na natureza jamais vista. Ele mostrou, pelos caminhos da razão, como essa qualidade infinita que havia sido associada aos deuses pode ser diminuída, exibindo o modo pelo qual podemos ir muito além dessa infinitude graças à criação de distintos infinitos, em verdade, de um número ilimitado de infinitos. Reduziu, assim, a visão tradicional de infinito pela qual se havia concedido aos deuses uma disponibilidade espaço-temporal sem limite, posto que seria possível ir muito além desse "simples infinito de primeira ordem" do qual o pensamento religioso se apoderara. A novidade da constituição de um imaginário capaz de lidar e gerenciar inumeráveis configurações múltiplas sem limite possível permitiu pensá-las muito além da eternidade divina, para além de qualquer ação infinita até então organizada.

Ao associar a infinitude do mundo à morada de deus, os antigos aceitavam que essa extensão não requer um corpo, mas se alimenta da ideia de que a multiplicidade de coisas e processos que é identificada ao uno representa a estrutura da divindade. Cantor transformou essa situação que permanecera imutável por milhares de anos no imaginário coletivo.

Roubar a formação do infinito, uma prerrogativa exclusiva dos deuses, torna Cantor o Sísifo dos tempos modernos? Essa ousadia em desafiar a grandiosidade divina merece igualmente o castigo eterno dos deuses? Afinal, esse trabalho inútil e sem esperança — a produção dessa multiplicidade de infinitos — modifica e amplia a grandiosidade de nossa reflexão sobre isso e aquilo ou provoca uma nova angústia diante de nossa finitude?

Deveríamos aceitar que aquele — nós — que produz esses mundos infinitos é superior a seu destino limitado e trágico, e não precisa se esconder por reconhecer que esse caminho não requer conceder nem mesmo propor um sentido à existência?

Sísifo rouba os deuses e os ofende. Na tradição, a finitude humana se confronta com a infinitude da morada divina. Ao mostrar que existe mais de um infinito, exige-se dos deuses que sejam transferidos para outros mundos, para infinitos maiores. Essa ofensa de Cantor poderia ser resolvida pela saída divina para infinitos maiores ou, de modo definitivo, empurrando os deuses para um novo imaginário absoluto: o maior dos infinitos. Assim, atingido aquele espaço mais abrangente, alcançável somente por eles, pelos deuses, continuaria a ser possível açambarcar tudo que existe e impor sua presença embebida em uma totalidade maior. Mas instala-se aqui precisamente a maior das crises ao perguntarmos a Cantor sobre a estrutura do maior dos infinitos e, num segundo momento, em como alcançá-lo. E, finalmente, a mais terrível das questões: existe verdadeiramente um tal incomensurável infinito que possa ser apontado como o maior dos infinitos?

Cantor nos surpreende uma vez mais ao responder com um imenso **não!** a essa questão, empreendendo assim um trabalho gigantesco que o transforma no maior desafiante dos deuses, reduzindo o ato simbólico de Sísifo, por sua ofensa aos deuses, contada pelos mitos, a nada mais do que uma pequena, uma quase infantil transgressão.

Resta, enfim, a tarefa individual e angustiante de decidir se a Cantor — a nós? — deveria ser aplicada a mesma sorte de Sísifo.

É preciso primeiro esclarecer uma questão e precisar o que fez realmente Cantor. Que sentido dar a essa multiplicidade de infinitos que ele produziu? Sob qual manto simbólico devemos situar esse caçador de infinitos, esse construtor de estruturas inesperadas que contêm mais coisas do que a totalidade das coisas do mundo? Trata-se somente de ilusões forjadas em um território distinto onde se debatem verdades matemáticas, distantes de nosso mundo? E qual a alternativa àquela pergunta anterior que permitiria reconstruir o poder dos deuses de dominar e controlar o mundo apoderando-se do maior dos infinitos? Antes de decretar seu destino simbólico, devemos entender um pouco o que o matemático Cantor realizou.

Sobre o infinito: o que diz a matemática e a lógica?

Georg Cantor alterou tão profundamente a questão do infinito, e de um modo tão completo, que me atreveria a dizer que essa tenha sido a proposta mais estranha e vertiginosa que jamais um matemático ousou fazer. E mais, de um modo tão simples — característico das ideias fundamentais — que podemos discursar sobre ela até mesmo sem que seja indispensável penetrar nos formalismos matemáticos exotéricos que só uns poucos — aqueles que se dedicam ao exercício dessa ciência — sabem lidar.

Vamos visitar essas ideias de Cantor e deter nosso exame em três questões:

1. Existe um só infinito?
2. Existe uma hierarquia desses diferentes infinitos?
3. Existe um infinito maior do que todos os outros?

A teoria matemática dos conjuntos é certamente o instrumento mais adequado para entendermos a noção de infinito na matemática moderna. Um conjunto M contém elementos {a, b, c, ...}. Podemos contar a quantidade desses elementos de M fazendo uma contagem um a um, associando a cada elemento de M um número. Por exemplo, o conjunto {a, b, c} possui 3 elementos.

Com esse conjunto M de 3 elementos podemos fazer vários outros conjuntos a partir de seus subconjuntos. Assim, o conjunto N = {a, b} é um subconjunto próprio de M, pois todos os elementos de N são também elementos de M. Descobrimos assim, até mesmo por contagem e construção direta, que existem 8 subconjuntos que podem ser criados a partir de M. Em verdade, mostra-se que se um conjunto possui n elementos, então podem ser construídos 2^n subconjuntos. No nosso caso, n=3, então podemos construir aqueles 8 que comentei acima. O notável é que os matemáticos mostraram que o número de subconjuntos é sempre maior que o número de elementos do conjunto. Surge então a pergunta: e quando o número de elementos do conjunto for infinito? Uma vez mais os matemáticos espantam o senso comum, ao mostrar que 2^n é sempre maior que n mesmo que n seja infinito!

Mas isso requer antes que esclareçamos como decidir que um dado conjunto tenha um número infinito de elementos sem que sejamos obrigados à impossível tarefa de contá-los. Um método bastante simples e eficiente consiste em utilizar o mapeamento de um conjunto em outro. Suponhamos dois conjuntos: A= {a, b, c} e B = {m, n, k}. Façamos uma correspondência arbitrária entre A e B, de tal modo que a cada elemento de A corresponda um e somente um elemento qualquer de B. Assim, por exemplo, associamos:

a → m
b → k
c → n

Vemos que todos os elementos dos dois conjuntos estão relacionados, isto é, não sobra nenhum elemento, nem de A nem de B, ao fazermos essa aplicação entre os dois conjuntos. Dizemos assim que A e B tem o mesmo número de elementos.

De outro modo, os conjuntos A = {a, b, c} e C= {m, n} não possuem o mesmo número de elementos e podemos induzir que o conjunto A possui mais elementos do que o conjunto C.

Pois bem, consideremos agora dois conjuntos especiais bem conhecidos:

O conjunto dos números inteiros
N= {1, 2, 3, 4, 5, ...}
e o conjunto dos números pares
P= {2, 4, 6, 8, 10, ...}
Façamos a mesma operação de mapeamento que construímos anteriormente, de modo que para cada número inteiro do conjunto N haja o número par correspondente de P. Temos então:

1 → 2
2 → 4
3 → 6
4 → 8
5 → 10

E assim sucessivamente. Podemos induzir que todo elemento de N terá um elemento correspondente no conjunto dos pares P. E vice-versa, todo elemento de P terá um correspondente em N. Concluímos, assim, pelo que definimos anteriormente, que os dois conjuntos N e P possuem o mesmo número de elementos. Note, entretanto, que o conjunto P é um subconjunto próprio de N, pois todos os elementos de P estão contidos em N, mas nem todos os elementos de N estão contidos em P.

Ou seja, a operação de mapeamento permitiu mostrar que é possível existir um conjunto que pode ser posto em correspondência biunívoca com um seu subconjunto. É essa propriedade que os matemáticos usam para definir um conjunto que possui um número infinito de elementos. Ou seja, um conjunto é dito infinito (isto é, possui um número infinito de elementos) se ele pode ser posto em correspondência biunívoca com um seu subconjunto.

Essa definição permite imaginar uma possibilidade até então escondida e referente à questão que vimos examinando: é possível existir mais de um infinito. Ou melhor, é possível construir ou somente imaginar dois conjuntos infinitos que não tenham o mesmo número de elementos? Suponhamos que dois conjuntos A e B sejam infinitos e que todos os elementos de A possam ser relacionados de um modo biunívoco a uma parte do conjunto B, mas não à sua totalidade. Isto é, sobram elementos do conjunto B nessa operação de mapeamento entre A e B. Dizemos então que o conjunto A é menor do que o conjunto B, embora ambos possuam um número infinito de elementos.

Cantor estabeleceu essa profusão de infinitos a partir da noção de correspondência que introduzimos acima e conseguiu então responder à questão que havíamos proposto anteriormente, a saber: existe um conjunto que possa ser considerado como maior que todos os demais? Existe um infinito maior do que todos os infinitos? É nesse momento, quando Cantor demonstra que a resposta é não, que aparece a dúvida: o que fazer com isso? Como conciliar a finitude humana com esses infinitos sem limite? Podemos tranquilamente continuar com essa análise formal, simbólica, e abdicar de transformar com ela nossa realidade? Pode essa verdade matemática servir para imaginar universos que escapam a nosso controle?

A fim de que possamos elaborar respostas, um desvio nessa análise se faz necessário, para comentarmos como a questão do infinito aparece no mundo da física.

Sobre o infinito: o que diz a física?

Embora o zero e o infinito estejam intimamente relacionados – define-se o inverso do zero como sendo infinito –, a atitude dos físicos em face desses dois números extremos é distinta. Enquanto o infinito produz horror para os físicos, o zero não provoca essa reação. Ao contrário, um procedimento bastante generalizado entre os físicos, o zero – que tradicionalmente representa o vazio, ausência de quantidades físicas – é utilizado como ponto de partida para uma descrição completa de tudo que existe. Como foi isso possível?

Construindo o que existe a partir do que não existe

Hans Blumenberg argumenta que o homem lida com objetos que não percebe. O ponto máximo disso seria propor à física que ela iniciasse um programa completo de sua ciência construindo o que existe (os objetos, os corpos materiais, os campos de força) a partir do que não existe (os conceitos que irão nortear as funções dos objetos e lhes permitir existir).

Por mais estranho que possa parecer, ao longo do século XX, e sem que isso fosse entendido como um verdadeiro procedimento metafísico, as duas mais fundamentais teorias da física (Teoria Quântica dos Campos e Relatividade Geral) propuseram construir o que existe a partir do que não existe. Como foi isso possível e porque esse procedimento não produziu nenhuma dificuldade de princípio no arcabouço positivista da física é o que me interessa comentar aqui.

A matemática produz uma simplificação na descrição das propriedades formais do mundo da física que permite uma formidável amplidão de consequências formais. Em vários momentos, essa produção remete a questões que transcendem a experimentação e fazem apelo a configurações não observáveis. Até o início do século XX, essa ausência de uma visão positivista da física era considerada inaceitável. A situação mudou completamente ao longo daquele século.

Ao contrário do que poderia imaginar um físico positivista do início do século passado, a ideia de que somente observáveis devem fazer parte do arcabouço formal de qualquer teoria é hoje entendida como ultrapassada. Não diria que ela é inaceitável, mas está-se muito próxima disso. Conceitos que não possuem exemplos de uma realidade fazem parte do instrumental hodierno da física ou de situações que podem ser consideradas como parte desse real somente através de uma abstração de influências de diversos tipos e que devem ser especificadas em cada exemplo.

Uma dessas situações envolve o que parece familiar a qualquer físico: a estrutura do espaço-tempo de Minkowski. Essa estrutura é uma idealização que se realiza ao abstrair o campo gravitacional, sempre presente.

Não devo entrar em detalhes que desviariam a atenção do leitor por serem específicos do formalismo dos físicos. Devo somente dizer que, no começo do século XX, fez-se uma modificação profunda nos conceitos newtonianos de espaço absoluto e tempo absoluto com os quais se representava o pano de fundo que servia para situar e apontar os fenômenos do mundo. Ao final da primeira década daquele século, uma nova estrutura (igualmente apriorística e absoluta) apareceu: o espaço-tempo, uma união formal daquelas duas estruturas absolutas com as quais os físicos representavam todo território possível.

Na década seguinte, e graças à interpretação dos processos gravitacionais como modificações na estrutura da geometria do espaço-tempo, aquela configuração formal — o espaço-tempo de Minkowski — deixou de constituir uma estrutura fundamental e passou a ser nada mais do que uma idealização associada à ausência de forças de gravitação.

Ora, isso é certamente um inobservável, posto que, por definição do que existe, todo corpo material e toda forma de energia provoca inevitavelmente uma alteração, por menor que seja, na geometria do mundo. Costumo mesmo afirmar, em minhas aulas no Centro Brasileiro de Pesquisas Físicas - CBPF, que uma definição da palavra existir pode ser obtida a partir da universalidade do campo gravitacional. Com efeito, todo corpo material ou energia sob qualquer forma possui interação gravitacional. Não é possível, assim ao menos acreditam os físicos, que um corpo material ou energia não produza ou não sinta os efeitos da interação gravitacional. Tenho por hábito enfatizar essa propriedade afirmando: "caio, logo existo!" Ou seja, tudo que existe sente a atração gravitacional.

Pois bem, embora esse absoluto vazio de matéria, energia e qualquer campo de forças, esse espaço-tempo de Minkowski, seja uma idealização, uma abstração associada a uma configuração especial, ele passou a ser entendido como o estado fundamental dessa estrutura unificada, o espaço-tempo. Assim, toda geometria associada a um corpo material (ou energia), ao provocar um processo de interação gravitacional, é interpretada como uma perturbação sobre esse estado ideal, absoluto e inobservável: a geometria de Minkowski. (O leitor interessado em detalhes sobre a evolução dessa ideia pode consultar algumas das referências).

A partir da identificação da universalidade da gravitação com a geometria do mundo, imediatamente se classificou que a estrutura idealizada da geometria de Minkowski deveria ser entendida como um acessório, definido por oposição negativa, a partir da ausência do campo gravitacional. Entende-se então porque somente em situações especiais pode-se afirmar esse espaço de Minkowski como real, pois do que vimos acima, ele deveria constituir não uma estrutura base da teoria, e sim um estado-limite, idealizado, realizado somente assintoticamente.

No entanto, a prática da ordem científica inverteu esse processo e passou a tratar o espaço-tempo de Minkowski como ontologicamente mais fundamental e, dessa maneira, alterar o modo de pensar: o campo gravitacional (abstraindo sua universal influência) passou a ser entendido como uma perturbação (maior ou menor) desse estado puro, a ausência de matéria e energia sob qualquer forma, um ente matemático transcendental.

Reservatório inesgotável

Assim, o estado do vazio da geometria do mundo passou a ser considerado como uma espécie de fundamento do real. Essa situação se generalizou quando, na microfísica, deu-se origem a um modo de pensar tudo que existe, as partículas elementares que compõem todo corpo material ou energia, a partir de um estado fundamental que não se identifica com nenhum corpo material nem nenhuma forma de energia conhecida: aquilo que dificilmente um físico dos séculos passados aceitaria atribuir a esse estado a palavra existir.

Uma elaboração matemática permitiu construir, no domínio da microfísica, um formalismo que representa a matéria — todos os corpos — a partir de um agrupamento interativo de partículas elementares, como se fosse gerada a partir de um estado fundamental contendo zero partículas, zero energia. Ou seja, tudo que existe, os corpos materiais, nada mais seria do que perturbações desse estado de vazio, que constitui, assim, um verdadeiro reservatório de toda a matéria. O zero passou a ser entendido como o conceito a partir do qual se elaboraria qualquer descrição material do mundo. É preciso reter que não se trata de uma questão linguística, mas, sim, ontológica, pois esse estado representado pelo zero teria uma realidade e é a partir dele, de perturbações de diferentes formas que tudo que existe irrompe no mundo.

E quanto ao infinito?

O horror metafísico do infinito na física do século XX

Em 1968, recebi de meu orientador de mestrado, o físico José Leite Lopes, o seguinte tema: examinar os modos de eliminar os infinitos das teorias que descrevem os campos clássicos da física e, em particular, da interação eletromagnética. Nem por um breve momento ele achou necessário satisfazer minha curiosidade e apresentar argumentos que justificassem empreender essa investigação e impulsionar os físicos a se dedicarem à tarefa de eliminar os infinitos de toda teoria física.

Em verdade, ele estava simplesmente fundamentado na aceitação geral da comunidade dos físicos de que qualquer ciência da natureza não pode admitir como verdadeira uma teoria na qual algum processo possa assumir o valor infinito. Ou seja, o aparecimento do valor infinito em uma situação física é a prova de que a validade dessa teoria se esgota ali. De modo semelhante à atitude dos físicos em relação ao eletromagnetismo, Einstein, no começo dos anos 1950, sugeria que para evitar os infinitos que podem aparecer em certas situações descritas por sua teoria da relatividade geral, as equações dinâmicas dessa teoria deveriam ser alteradas quando a intensidade do campo gravitacional ultrapassasse certo valor, com a única justificativa de que o infinito não é uma quantidade aceitável em uma configuração real. Essa autocrítica de Einstein deveria ter servido para evitar a propagação da ideia superficial e irrealista de que o universo em que vivemos teria tido um começo singular a um tempo finito de nós. Infelizmente, não foi assim que os físicos trataram o modelo mais comum do universo chamado big bang.

No caso do eletromagnetismo, o infinito aparece ao examinarmos o campo gerado por uma carga elétrica. Mais grave ainda: esse infinito ocorre continuamente ao longo de sua trajetória. É importante notar que essa característica não é exclusiva da força eletromagnética, mas igualmente ocorre no outro tipo clássico de forças conhecido, a interação gravitacional. Essa dificuldade admitia duas alternativas: ou se mudava a teoria de Maxwell que descrevia a dinâmica do campo eletromagnético permitindo o aparecimento de processos não lineares ou então se procurava uma solução no interior dessa teoria capaz de contornar essa dificuldade.

O modo mais simples seria alterar a dinâmica quando a intensidade do campo crescesse acima de um certo valor. Como esse valor, muito possivelmente, nunca seria atingido por experiências realizadas em laboratórios, essa solução tinha a vantagem de não modificar nada da teoria conhecida e fartamente corroborada pela experimentação ao longo dos tempos. Contudo, havia uma outra possibilidade, menos convencional, e que despertou o interesse de alguns, como o físico inglês Paul Andre Maria Dirac.

Dirac adquirira notoriedade na comunidade científica por seus importantes trabalhos na organização da teoria quântica, e em particular por sua sugestão da existência de antimatéria, comprovada mais tarde. Ele levantou a suspeita de que o aparecimento do infinito ao longo da trajetória do elétron (em verdade, de qualquer corpo carregado) estava relacionado a certos pré-conceitos causais. Segundo ele, essa dificuldade estaria sendo introduzida pelo modo como os físicos têm lidado com exemplos práticos da teoria de Maxwell do eletromagnetismo. Para mostrar a coerência e a razoabilidade de seu argumento, elaborou um modo de descrever o movimento convencional do elétron a partir da hipótese de que a ação do campo eletromagnético sobre essa partícula consistia de dois termos, sendo que um deles havia sido negligenciado e desaparecido dessa descrição. Havia o efeito convencional do campo sobre o elétron por influência causal, na qual a fonte do campo envia um emissor (fótons) que do passado do elétron o influencia; mas além dessa ação, haveria outra que consistiria em fótons carregando mensagens vindas do futuro do elétron. Isso põe em questão o sacrossanto princípio de causalidade. Não é esse o lugar para desenvolver as questões técnicas que envolvem essa proposta de Dirac. O que, sim, devemos reter é o resultado dela: como em um milagre formal, os infinitos desaparecem. O preço a pagar seria trocar os infinitos e suas dificuldades por uma violação da causalidade clássica.

Se cito brevemente essa formulação, é porque quero retirar dela uma consequência que tem permanentemente perseguido os físicos, a saber, para evitar e inibir o aparecimento de infinitos em uma teoria, devemos sacrificar alguma forma de apriorismo que tenha sido travestido em lei universal. No caso em questão, dever-se-ia abandonar o princípio causal de que somente ações do passado podem influenciar um corpo. Embora tenhamos cotidianamente e sempre exemplos de que a causalidade local é um princípio bem fundamentado, não podemos ignorar — como Gödel irá nos alertar, mais adiante — que a estrutura causal global associada ao universo pode não ser uma consequência da causalidade local e vice-versa. Ou seja, a causalidade global pode não impor restrição intransponível à estrutura causal local. Antes de passarmos à questão cosmológica, um comentário sobre a representação dos corpos materiais como estruturas altamente localizados.

A delta de Dirac ou a localização extrema

Após formular a versão quântica moderna do elétron, construindo uma teoria que levou à descoberta da antimatéria, Dirac se voltou para o exame do modo clássico (isto é, não quântico) de descrever o elétron. (Esse comentário se aplica a qualquer partícula elementar; se me detenho em especial na partícula elétron é para simplificar minha exposição e porque se trata de uma partícula estável, isto é, que não se transforma espontaneamente em outra).

Todo corpo, toda matéria elementar, o que costumamos chamar uma partícula, é tratado classicamente como um objeto puntiforme, isto é, altamente localizado e praticamente sem dimensão. Isso, claro está, é uma simplificação que a física sempre fez. A questão que nos interessa aqui é menos as propriedades dessa estrutura sem volume, e sim sua descrição formal; dito de outro modo: como descrever em linguagem matemática uma tal ideia? Como representar um corpo que tem a propriedade de estar localizado em um volume de raio zero?

As dificuldades formais para essa descrição são conhecidas de há muito. O professor Dirac propôs uma nova forma matemática de lidar com esse tipo de configuração, inventando um conceito híbrido, à semelhança de um animal mítico, metade homem, metade cavalo, à qual chamou de função-delta. Essa delta é definida pela inesperada propriedade: ela tem o valor zero em todo o espaço, exceto em um único ponto onde assume o valor infinito. Ou seja, é certamente um conceito matemático esdrúxulo. Com efeito, mais tarde se reconheceu que não se tratava propriamente daquilo que os matemáticos consideram ser as propriedades típicas para receber o nome de função, mas, sim, um caso particular de uma nova figura matemática que veio a receber o nome de distribuição. No entanto, a delta de Dirac serviu para que os físicos exibissem um modo prático e convencional de realizar operações formais capazes de serem aplicadas a qualquer partícula elementar puntiforme. Embora o infinito não seja uma figura aceita pelos físicos, ele pode aparecer em seus acessórios formais. Tudo se passa como se o infinito devesse ser colocado sob a proteção de uma configuração matemática de tal forma que ele não apareça em nenhum observável, podendo ter um papel importante nos procedimentos formais intermediários. Dito de outro modo: o infinito é aceito na linguagem formal, mas deve ser banido da experiência realizada em qualquer medida física; pode-se falar do infinito, não se pode procurar observá-lo.

Sobre o infinito: o que diz a cosmologia?

A cosmologia moderna se baseia na teoria da relatividade geral de Einstein que nada mais é do que uma forma especial de descrever a força gravitacional. Antes de examinar a questão do infinito na cosmologia, precisamos responder à questão: por que podemos afirmar que uma teoria da gravitação fundamenta uma cosmologia? Por que somos levados a aceitar que uma modificação da descrição dos fenômenos gravitacionais, isto é, a construção de uma nova teoria da gravitação, permite fundar uma cosmologia? Por que não podemos dizer, por exemplo, que uma modificação na descrição de fenômenos eletromagnéticos cria uma nova cosmologia? Por que o conhecimento das forças nucleares não cria uma cosmologia? Estas questões admitem uma mesma resposta simples, mas que, como veremos mais adiante, não as esgota completamente. Vamos aqui tratar somente de uma resposta imediata, deixando para outro lugar uma análise mais completa. Esta resposta simples, vamos encontrá-la na própria caracterização e divisão das forças que existem na natureza. Quantas e quais são as forças que os físicos identificaram no mundo?

Um dos grandes sucessos da física no século xx foi a unificação de todos os processos, da dinâmica de todos os fenômenos a partir de uma combinação de somente quatro forças fundamentais. Não deixa de ser notável a eficiência provada pelos físicos na demonstração de que todos os processos do mundo observável que fazem parte de seu território de competência possam ser explicados como consequência da luta entre quatro e somente quatro forças fundamentais: eletromagnética, gravitacional, fraca e forte. Há vários modos de distinguir entre estas forças e de classificá-las. Vamos nos limitar, aqui, a dois modos de classificação que são suficientes para nos permitir responder à questão que nos interessa. Para realizar essa divisão, devemos nos concentrar em duas propriedades: o alcance e as respectivas intensidades destas diferentes forças.

A física anterior ao século xx e que, genericamente, se costuma chamar física clássica (querendo, com esta terminologia, explicitar que ela é não relativista e não quântica), conhecia somente forças de longo alcance: as forças gravitacionais e as eletromagnéticas. Por esta denotação, entende-se que seus efeitos se estendem por todo o espaço conhecido, uma região tão grande que se tende a afirmar, simplificadamente, que possuem alcance infinito ou melhor, sem limite sensível. Isto é, não há nenhuma evidência de que exista uma distância limite, um raio crítico, para além do qual elas não se fariam sentir, a partir do qual não teriam mais uma ação efetiva sobre os corpos. Além destas duas, no interior da matéria, no nível atômico e, mesmo mais intimamente, no nível intra-atômico, duas novas forças foram reconhecidas recebendo os nomes de forças nucleares fraca e forte. A primeira é responsável pela desintegração da matéria e a segunda por sua estabilidade e persistência. Estas são forças de curto alcance, de dimensões extraordinariamente pequenas, imperceptíveis para nossos sentidos: elas se fazem sentir somente no mundo microscópico, no interior dos átomos. Esta propriedade das forças nucleares está relacionada ao fato de que partículas que intermedeiam essas interações possuem massa diferente de zero. Em verdade, pode-se mostrar que o alcance de uma interação é inversamente proporcional à massa da partícula trocada. Explico-me. Segundo o modo moderno, quântico, de interpretar o fenômeno de interação

– aquilo que, tradicionalmente chamávamos de "força" entre dois corpos – tudo se passa como se estes corpos trocassem partículas extremamente leves e típicas de cada interação ou força. O caráter misterioso que revestia este conceito "força" foi, assim, substituído pela nova forma encontrada para descrever a interação: a troca de um número de agentes ativos, os "emissários da interação" ou os *quanta*, isto é, os grãos de energia da "força" correspondente. Embora isso possa parecer, para os não físicos, como sendo igualmente misterioso, devemos reconhecer que foi um progresso na descrição de como se dá efetivamente a interação, ao se visualizar, através desta troca energética dos *quanta* da respectiva interação, o efeito da ação de uma força sobre um dado corpo. Voltaremos a essa questão mais adiante.

Tal construção nos levaria a esperar, por exemplo, que o fóton, o encarregado de transmitir a interação eletromagnética, tenha massa nula. Quanto à gravitação, a situação é um pouco mais complexa. Em um primeiro momento, e de modo simplista, poderíamos afirmar que, dado o seu caráter de força de longo alcance, como a eletromagnética, os responsáveis grãos elementares (que chamamos de "grávitons") também deveriam ter massa nula. Essa questão, no entanto, deve ser examinada mais cuidadosamente, e deixaremos para fazê-lo quando analisarmos as propriedades da constante cosmológica. Do que vimos, podemos fazer o seguinte quadro representativo desta hierarquia: as forças eletromagnéticas e gravitacionais são de longo alcance; as forças nucleares forte e fraca são de curto alcance.

Outro modo de caracterizar e de realizar um ordenamento entre estas forças pode ser através da utilização do conceito de intensidade. Em situações semelhantes, estas forças produzem respostas distintas, como resultado de suas respectivas ações. É possível identificá-las através de certas constantes fundamentais que constituem a impressão digital de cada uma delas. Para cada força existe um correspondente valor da constante que determina a diferença de suas intensidades. Usando este critério, pode-se colocar uma segunda ordem hierárquica que, começando pela mais forte, é representada pela sequência: nuclear forte-nuclear fraca-eletromagnética-gravitacional. Reconhecemos, assim, que a força gravitacional é a mais fraca interação conhecida. Só para dar uma ideia desta diferença, entre duas partículas de mesma carga e mesma massa — por exemplo, dois elétrons — a força gravitacional é, aproximadamente, da ordem de 10^{-40} vezes mais fraca que a eletromagnética. E, se é assim, por que então, ao tratarmos da questão cosmológica, é através dela que começamos nossa análise, é a partir dela que estruturamos um modelo cosmológico? Por que podemos afirmar que uma nova teoria da gravitação funda uma cosmologia? A resposta vem das propriedades destas forças. Vimos que as forças nucleares são de curto alcance, da ordem das dimensões do átomo. É razoável aceitar que, qualquer que seja a definição de cosmologia que consideremos, ela deve tratar de grandes dimensões de espaço e de tempo. Assim, forças localizadas certamente não deveriam desempenhar papel importante ao longo de sua história.

Sobram as duas forças de longo alcance. O eletromagnetismo tem a propriedade de admitir forças de sinais opostos, isto é, ela pode ser atrativa ou repulsiva, dependendo das características dos corpos que interajam segundo esse modo. Em um universo composto de corpos neutros, como átomos e radiação, as diferentes ações eletromagnéticas se cancelam, eliminando qualquer papel importante que esta força poderia desempenhar, pelo menos em condições convencionais, no universo. A força gravitacional é a mais fraca de todas, mas é universal, isto é, tudo que existe sente a força gravitacional. Não existe nenhum corpo material ou energia que não seja influenciada por um campo gravitacional - nem mesmo a própria energia gravitacional. Ademais, ela tem uma outra propriedade notável que é a chave para entendermos a questão que colocamos: é somente atrativa. Isto é, não existe repulsão gravitacional. Em outros termos, não existe massa negativa na natureza. Assim, mesmo sendo a mais fraca, essas duas propriedades - universalidade e atração sempre positiva - determinam a importância maior da força gravitacional sobre as demais, quando se trata de pensar grandes porções de espaço-tempo ou até mesmo a totalidade do mundo que chamamos universo. Torna-se, então, compreensível a afirmação de que uma teoria da gravitação funda uma cosmologia.

A questão do infinito no espaço e no tempo

Vamos separar duas questões (somente para simplificar nossa análise) — embora isso seja feito artificialmente como os cosmólogos fazem em geral para efeitos de simplificação formal — e descrevamos o universo à moda newtoniana, separando espaço tridimensional e tempo. Assim podemos tratar separadamente dos dois infinitos. O espaço tridimensional pode exibir uma estrutura finita ou infinita; e, de modo independente, mas complementar, a duração desse universo pode ser finita ou infinita.

O espaço é finito ou infinito?

Eternidade estática: Camus e o mito de Sísifo. Para impedir a evolução, Einstein produz um modelo de universo fora do tempo. Sem dinâmica. Fora da engrenagem do movimento.

Estático. Eterno. Um Universo Finito, mas ilimitado. Altera a topologia euclidiana, plana, sem contorções que os físicos haviam aceito desde o estabelecimento da física newtoniana e encontra na topologia uma forma matemática para descrever um Universo Estático, independente do tempo, contendo planetas, estrelas, galáxias separadas dinamicamente umas das outras, sem que haja nenhuma interação entre esses componentes desse mundo. Trata-se, como se pode perceber, de uma idealização, não diz respeito ao nosso universo.

Criação finita no tempo, infinitude no espaço: modelo do big bang

O cientista russo Friedmann elaborou um cenário mais realista de um Universo Dinâmico. É dele que quero tratar. Nesse modelo, o universo é representado como tendo origem há um tempo finito, no qual tudo que existe estaria concentrado em uma região singular, que é um eufemismo para substituir uma completa ignorância sobre o que ela significa. Embora tenhamos visto que os físicos têm verdadeiro pavor de teorias que permitam o aparecimento do infinito, uma atitude oposta apareceu a partir dos anos 1970 no contexto da cosmologia. Não vou me alongar aqui nessa descrição, encaminhando o leitor interessado aos livros presentes na bibliografia. Cito somente uma situação na qual o comportamento da comunidade dos cientistas se opõe a tudo que vimos ocorrer quanto à atitude dos cientistas em face do infinito, e que seria interessante ser examinada com mais detalhes, mas não aqui.

Nesse modelo, tudo que existe, toda matéria e energia teria aparecido em um momento singular, no qual todas as quantidades físicas relevantes, como a densidade total de energia existente, teriam assumido o inaceitável valor infinito. Ao serem perguntados por Fred Hoyle como, abandonando a tradição do horror ao infinito que permeia toda a física, eles aceitaram pacificamente a existência de um infinito naquela situação mais fundamental, a própria origem desse universo associada à presença desse começo irracional, ao invés, por exemplo, da proposta de criação contínua de matéria que ele, Hoyle, advogava, a maioria dos cientistas respondeu que é certamente menos desagradável conviver com a ideia de que toda a matéria tenha sido criada em um único momento do que a alternativa segundo a qual ela estaria sendo criada de modo contínuo ou até mesmo, mais limitada, em diversos momentos especiais. Ou seja, nesse caso, os físicos preferiram aceitar a ideia de que a origem do universo poderia ser associada a um momento mágico, único, distinto de todos os demais momentos no qual se teria dado sua criação. Aí, e somente aí, se pode aceitar a aparição única e inacessível do infinito. Essa disposição para uma tal crença encontra-se igualmente em todos os mitos cosmogônicos de criação que as diversas civilizações construíram, como iremos comentar em outro capítulo.

Eternidade dinâmica

A partir do final dos anos 1970, cenários cosmológicos representando universos sem singularidade inicial foram elaborados. Um modelo típico exibe aquilo que os cosmólogos chamam de *bouncing*, significando eternidade para trás e eternidade para frente. Isto é, enquanto o modelo big bang descreve um universo que inicia um processo de expansão de todo seu volume espacial, no modelo com *bouncing* o universo possui uma fase de colapso anterior, na qual a totalidade do volume diminui com o tempo cósmico, atinge um valor mínimo diferente de zero e passa, a seguir, a uma fase de expansão que é identificada à atual expansão do universo.

O modelo de um universo com *bouncing* elimina a dificuldade associada a uma singularidade que se caracteriza pelo valor infinito que algumas de suas variáveis associadas à matéria (como a densidade total de energia existente no universo) poderiam assumir em um tempo finito em nosso passado. Isso é feito estendendo o tempo de existência desse universo que então não teria um começo em um tempo finito. Ou seja, podemos prolongar a história do universo por um tempo infinito no passado. Estaríamos, assim, trocando um infinito espacial por um infinito temporal. Haveria a possibilidade de entender por que então um processo de colapso teria se iniciado? Sim, é possível produzir uma explicação para isso.

A biologia, uma ciência diferente das outras?

O biólogo Ernst Mayr examina em seu belo livro *What makes Biology unique?* a dissensão da biologia entre as demais ciências, em especial a física, ao rejeitar algumas das principais orientações tão populares entre os físicos como o reducionismo e a unificação. Em sua versão francesa, o livro adquiriu um título mais explícito, *Après Darwin: la Biologie, une science pas comme les autres*.

Mayr elabora a síntese de vários de seus trabalhos e procura mostrar porque a biologia merece um lugar especial entre as ciências e, principalmente, as razões pelas quais ela não pode ser considerada como uma consequência da aplicação reducionista da física aos seres vivos, como muitos pretendem. O subtítulo desse livro já mostra sua intenção ao informar que a biologia não é uma ciência como as outras. Mayr organiza seus argumentos a partir de duas afirmações:

1. Certos princípios da física não são aplicáveis à biologia;
2. Certos princípios biológicos não são aplicáveis à física.

Dentre os primeiros, ele cita quatro que lhe parecem evidentes a partir da revolução realizada por Darwin:

1. A tipologia;
2. O determinismo;
3. O reducionismo;
4. A ausência de leis universais em biologia.

A tipologia ou essencialismo pretende que a diversidade dos fenômenos se estrutura a partir de certas essências fundamentais. As variações se constituem de forma acidental. Segundo Mayr, esse modo de pensar levou ao conceito errôneo de raça humana, acarretando argumentos que se pretendiam de natureza científica, dando espaço para o desenvolvimento do racismo.

O determinismo, em desuso na física moderna, através de críticas internas violentas produzidas tanto pela mecânica quântica quanto por processos termodinâmicos fora do equilíbrio, manteve-se em alguns setores da biologia. Sua crítica abriu caminho para que nesta ciência se desenvolvesse o estudo das variações e fenômenos aleatórios.

Enquanto a maioria dos físicos aceitou e aceita o reducionismo, Mayr argumenta que esse princípio é por demais inibidor e deve ter seu papel bastante diminuído. Certamente, não deve estar à frente dos geradores de inúmeros projetos globais estudados na biologia.

Finalmente, o mais criticado dos princípios geralmente aceito pelos cientistas é a afirmação da ausência de leis gerais, deterministas e aplicáveis a todos os componentes biológicos – uma situação oposta à estrutura convencional da organização do mundo prescrito pela física.

Segundo Mayr, "[...] a demonstração de que esses quatro princípios, que desempenham um importante papel na física, não são aplicáveis à biologia, foi uma etapa maior — e talvez a mais difícil — na tomada de consciência de que a biologia não é a física. Não se reduz a ela."

O que chama atenção no desenrolar da análise que Mayr faz dessas questões — e que demonstram o distanciamento entre a biologia e a física — é a espantosa semelhança com a atitude da vanguarda dos cosmólogos que tem evidenciado, nos últimos anos, igual distanciamento da cosmologia em relação à física. Ou seja, sua argumentação para a posição da biologia tem uma grande e até certo ponto surpreendente analogia no interior dessa outra ciência, a cosmologia. Parece que os caminhos empreendidos pela cosmologia e pela biologia das últimas décadas possuem uma orientação única, envolvem um olhar comum, em particular em suas críticas ao reducionismo. No caso da cosmologia, isso aparece claramente ao reconhecermos que ela desempenha papel semelhante ao dos astrônomos do século XVI permitindo a refundação da física.

Assim como a biologia, a cosmologia carrega também uma componente histórica, como iremos comentar ao tratarmos da possibilidade de existência de processos de bifurcação no cosmos. Com esse exemplo sobre as novidades que o cosmos pode ainda esconder, entra-se novamente no território encantado entrevisto por Giordano Bruno.

A cosmologia e a física

Em meu livro *O que é cosmologia?* examinei a ideia de que a cosmologia não se identifica com a física. Isso se deveu, em particular, ao reconhecimento de que a física, estabelecida graças a experiências e observações realizadas nos laboratórios terrestres e em nossa vizinhança não poderia ser aplicada indiscriminadamente a todo o universo e em todas as situações. Ou seja, sua extrapolação para todo o universo deveria sofrer mudanças na escala global.

Mesmo sem poder determinar com rigor as propriedades associadas a intensidades bastante superiores às observadas em nossa vizinhança, das forças gravitacionais e eletromagnéticas que existem além de nosso sistema solar, quer em regiões compactas – como na vizinhança de certos corpos massivos, no que se convencionou chamar de candidato a buraco negro –, quer em regiões para além de nossa galáxia, envolvendo enormes quantidades de espaço e tempo, havia, até bem pouco tempo, uma espécie de fé animal, resquício de um antropocentrismo arcaico, de que a ciência não precisaria fazer nenhuma alteração nas leis da física conhecidas para produzir uma história completa do universo. O conhecimento local dessas leis seria suficientemente abrangente para produzir um relatório preciso e completo sobre todo o cosmos.

Essa hipótese se consubstanciou na expressão astrofísica extragaláctica, cunhada para se referir à ciência que se dedica ao exame das características globais do universo. Com esse nome, rotulava-se a ideia de que, ao aceitar a universalidade das leis físicas descobertas na Terra e sua aplicação inalterada ao universo, se estaria organizando uma versão do mundo a partir daquelas leis e somente daquelas leis. Claro está que, como método de trabalho, essa extrapolação deveria ser realizada em um primeiro momento, pois ela permite inclusive delimitar o alcance da aplicabilidade daquelas leis. Entretanto, ao adquirir um caráter dogmático, ela se transfigurou em um conceito reacionário e inibidor, gerando dificuldades para o surgimento de novas ideias igualmente simples e capazes de exibirem maior abrangência e melhor adequação às observações.

Não podemos dizer que essa atitude, que hoje pode parecer simplista, tenha sido completamente abandonada, mas creio ser correto aceitar que ela não tem mais, na comunidade científica, a força e a arrogância que demonstrava até bem pouco tempo. E, certamente, não tem mais a grande maioria dos cientistas a seu lado. Somente para mostrar essa mudança, podemos citar dois pesquisadores ingleses, Roger Penrose e Stephen Hawking, que se tornaram conhecidos do grande público por suas intervenções na mídia internacional ao desempenharem um importante papel na divulgação da ideia de que o big bang deveria ser considerado como o início inevitável do universo. Hoje, passados quase trinta anos, ambos aceitam a ideia de que o universo é bem mais complexo do que imaginavam e certamente a ideia de um big bang clássico e singular não deve ser considerado como uma proposta vitoriosa.

A noção de que a cosmologia está produzindo a refundação da física começou a ser aceita e difundida. Isto é, aspectos globais do universo começaram a adquirir importância entre os cientistas. Para que isso pudesse ocorrer, foi necessária a mudança de atitude levando a uma autocrítica que, no entanto, tem encontrado enorme dificuldade em ser institucionalizada.

A principal questão envolve o status do princípio reducionista, tão importante para os físicos. Esse princípio, que ao longo do século XX obteve um sucesso extraordinário, pretende que qualquer processo na natureza, qualquer sistema, independentemente do grau de sua complexidade, pode ser explicado a partir da redução a seus elementos fundamentais, conforme, por exemplo, àqueles descritos pela física microscópica. Aplicado esse princípio ao universo, concluiu-se, de modo simplista, que não poderia haver nenhum efeito novo capaz de modificar as leis da física a partir da análise global do universo. A única alteração, se houvesse, poderia ser quantitativa, mas não seria qualitativa. Esse princípio, dito "do microcosmo para o macrocosmo", foi usado como um guia para o tratamento das questões cósmicas.

Por outro lado, sabemos o sucesso que teve o alcance da compreensão das propriedades das diferentes substâncias a partir do reconhecimento e exploração de seus constituintes, de seus átomos fundamentais. A tabela de Mendeleiev trouxe notáveis avanços na compreensão de propriedades comuns a diferentes substâncias. Sem a noção de átomos, de elementos fundamentais a todos os corpos, as dificuldades de dar sentido e de compreensão para um grande número de processos com que nos deparamos no cotidiano ou em experiências programadas, seria certamente menos eficiente.

Esse sucesso, contudo, foi levado a um extremo que passou a ser não mais um instrumento útil de análise da realidade mas, ao contrário, um conceito inibidor do pensamento. Passou-se das moléculas aos átomos, e desses aos componentes mais elementares, prótons e elétrons. E, continuando esse procedimento, aos *quarks* e possivelmente outros constituintes fundamentais. O reducionismo a componentes elementares foi entendido não como uma tentativa de compreensão baseada em observações, e sim como uma prática de pensamento que deveria desempenhar o papel de uma super lei, a partir da qual toda e qualquer proposta científica deveria se submeter: como se fosse uma verdade isenta de crítica ulterior.

Descartar a importância da ação de processos de natureza global que não podem ser compreendidos pela justaposição de processos elementares, foi certamente um retrocesso no caminho desbravador dos astrônomos que, desde o século XVI, iniciaram a revolução científica e estabeleceram a ciência moderna. No século XXI, graças ao aperfeiçoamento de poderosos instrumentos capazes de aprofundar um novo olhar para os céus, pode-se produzir modos inesperados de compreender e reestruturar as leis da natureza. Assim, astrônomos e cosmólogos estão uma vez mais criando condições para o surgimento de uma profunda mudança no modo científico de descrever a natureza.

A. Lautman, em seu belíssimo livro *Essai sur les notions de structure et d´existence en mathématiques*, ao examinar a dicotomia local-global, propõe uma alternativa extremamente interessante, referente à possibilidade de uma síntese orgânica entre diferentes teorias matemáticas que escolhem o predomínio de uma sobre a outra. Lautman argumenta que é preciso estabelecer uma ligação poderosa entre a estrutura do todo e as propriedades das partes, de modo que se manifeste de modo claro e preciso nessas partes a influência organizadora do todo ao qual elas pertencem. Esse ponto de vista, que parece adotar ideias e programas retirados seja da biologia seja da sociologia, pode aparecer na matemática como um procedimento de síntese. Para isso, deve-se abandonar o programa de Bertrand Russell-Alfred North Whitehead de reduzir a matemática a estruturas lógicas atomísticas, bem como a visão de Wittgenstein e Rudolf Carnap, segundo a qual as matemáticas nada mais são do que uma linguagem indiferente ao conteúdo que elas exprimem. Não é meu propósito percorrer esse caminho que Lautman propôs. Se o cito, como um exemplo de análise semelhante ao que estamos desenvolvendo aqui no território da física e da cosmologia, é para apontar que essa questão transcende nosso plano de exame e constitui uma área de reflexão em diversos territórios do conhecimento. Ou seja, uma vez mais, nos deparamos com limites incertos de uma questão bem definida em um território que permite uma análise especial em outro território. Embora distintas, parece-me que elas estão tratando de algo que as aproxima enormemente.

Talvez fosse importante lembrar que o reducionismo vai ao par de outro princípio que tomou conta da ciência de modo bem menos racional do que é comumente apresentado e que podemos chamar, de modo simplificado, de princípio unificador. A ideia de unificação dos processos observados na natureza está associada a um movimento do pensamento que requer simplificações. Nos níveis em que ela funciona, essa unificação traz uma economia de pensamento que não pode ser desprezada. Por exemplo, a enorme quantidade de conhecimentos acumulados, ao final do século xix, permitiu tratar os efeitos elétricos e magnéticos como um só processo, como duas faces da mesma moeda. A influência de efeitos elétricos sobre magnéticos e vice-versa adquiriu então uma formulação que os uniu em uma só estrutura formal, o campo eletromagnético. Desde então, e por diversas razões, esse conceito unificador — herança de épocas anteriores à revolução científica e cujas origens vamos encontrar em seus antecedentes em movimentos religiosos — se alastrou na física, tornando-se, em alguns setores, uma prática de pesquisa extremamente perseguida. Em uma formulação mais impessoal e racional, com uma roupagem lógica que o torna bastante atrativo, ele prescreve que a função máxima do cientista, sua meta utópica e altamente desejável, a finalidade maior da caminhada científica, consiste em poder descrever todos os processos da natureza a partir de uma só estrutura formal. Será?

Não vou estender essa análise nesse momento, mas deveríamos voltar a ela em outro lugar para examinar com mais detalhes a revolução do pensamento que Mayr explicita em seu texto. Essa breve descrição serve para apresentar aqui, mesmo que superficialmente, o ambiente na ciência da física que conduziu à formação de certos apriorismos que, ao invés de produzirem mais conhecimento, geram em verdade mais restrições ao pensamento.

Termino essa incursão inspirada no livro de Mayr com um comentário envolvendo as críticas que biólogos e cosmólogos têm feito ao despotismo da física. A introdução da história na compreensão dos fenômenos biológicos é a mais contundente das características dessa ciência em oposição à formulação da imutabilidade apriorística das leis da física. Curiosamente, há também uma interpretação da cosmologia segundo a qual haveria igualmente esse fenômeno de evolução das leis físicas – o que se costuma chamar dependência cósmica das interações –, e ele requer, por coerência interna, a introdução da historicidade na compreensão dos fenômenos naturais de modo análogo ao que reconhecemos existir na análise dos fenômenos da vida. Assim, a cosmologia histórica poderia caminhar junto com a biologia histórica em seus questionamentos da rigidez e perenidade das leis físicas.

De modo análogo a como os astrônomos fundaram a ciência moderna — a ciência da natureza, isto é, a física —, seus companheiros de hoje, ao olharem para os céus, estão criando um movimento de reflexão que abriu a caixa de Pandora onde os físicos pretendiam (res-)guardar suas Leis eternas e imutáveis. Nas últimas décadas, os cosmólogos começaram a investigar essa evolução, mostrando que, assim como na biologia, essa análise pode ser empreendida sem que tenhamos que enfrentar o fantasma da teleologia.

Veremos, no capítulo dedicado à presença de bifurcação no universo, como essa historicidade é mais do que uma simples analogia e se estabelece como um eficiente modo de descrever o cosmos a partir das próprias equações com as quais se estabeleceu um determinismo seguro e radical na versão simplista e conservadora da cosmologia do século xx.

Antes, um comentário adicional sobre a relação entre a microfísica e a cosmologia.

O aumento inesperado dos estudos da cosmologia das últimas três décadas permitiu reduzir o impacto do reducionismo atomista sobre os físicos. Passou-se, então, a uma outra forma de simplificação formal apoiada na hipótese de que existiria uma interação natural entre o micro e o macrocosmo. Essa simplificação, embora tenha contribuído para diminuir a ênfase ingênua em produzir um cosmos a partir de elementos microscópicos elementares, resultou em uma nova forma de generalização desprovida de embasamento maior, o que a tornou, na prática, inócua.

Com efeito, afirmar a interação local-global, sem que a essa hipótese esteja associada uma forma de entender essa conexão, não produziu nenhum avanço em nosso conhecimento (da natureza), mas deu origem a um novo dogma.

Um método eficaz e completo para esclarecer essa questão pode ser conseguido seguindo os passos esclarecedores que Lautman produziu em uma questão análoga no território da matemática. Não é minha intenção aqui reproduzir seu exame, que envolve uma posição bastante esclarecedora e competente sobre a filosofia da matemática, mas simplesmente utilizá-lo como um guia para nossa questão envolvendo a natureza da física.

Na matemática, nos deparamos igualmente com uma dicotomia local e global, como comentei acima. Os matemáticos reconhecem, por exemplo, o ponto de vista adotado pelos geômetras, como Bernhard Riemann, que pretendem construir uma geometria a partir de operações envolvendo funções localizadas da métrica. Trata-se do ponto de vista local. Por outro lado, a topologia cuida de aspectos de natureza não local, dedicando-se a estudar o conjunto de elementos em sua qualidade global.

Ao longo dos últimos séculos, a atividade matemática conseguiu produzir o estudo de propriedades locais e globais capazes de serem compatíveis, isto é, de gerarem configurações que, ao caminharem num crescendo do ponto elementar e de sua vizinhança, atingem uma fronteira, uma superfície, um volume, um elemento matemático global, sem que esse encontro local-global crie um monstro matemático, isto é, de tal modo que não sejam incompatíveis.

Isso é o que se espera de uma bem-sucedida convergência local-global. Pois bem, Lautman argumenta, e apresenta diversos exemplos na matemática, que esse casamento local-global não é independente das propriedades específicas e individuais características desses dois aspectos. Segundo seus próprios termos, não devemos aceitar como natural a existência de uma solidariedade entre as propriedades locais e as propriedades globais de um ser (matemático), posto que a demonstração na maior parte dos casos dessa compatibilidade só é possível quando os seres (matemáticos) em questão gozam de certas propriedades especiais que permitem esse casamento. Em outros termos, conclui, nem sempre essa união local-global pode ser realizada de modo contínuo e sem que alguma forma de monstro matemático indesejado apareça.

Deixaria aqui, nesse ponto, a análise de Lautman, desejando ao leitor um mergulho em suas ideias na obra citada, para retornar à minha questão anterior da dicotomia micro-macrocosmo que vimos examinando. A argumentação de Lautman é bastante geral para poder ser adaptada a toda ciência matematizada envolvendo a interação local-global e mesmo para ser aplicada a outros seres que não sejam definidos na matemática. Por exemplo, eu irei aplicá-la aos seres da física.

O que essa análise da matemática nos ensina, ao ser empregada de modo consistente à física, é que podemos afirmar que as leis da microfísica, bem como as do universo descritas na cosmologia, não são estruturas independentes. Não pertencem a dois mundos que por acaso estariam se encontrando e sendo levados a interagir. Ao contrário, são agenciados por princípios coerentes. Ou seja, o atomismo (que pretende construir tudo que existe a partir de alguns poucos elementos fundamentais como *quarks* e léptons), assim como a cosmologia (que propõe reconhecer nas propriedades atômicas a influência determinante das propriedades globais do universo) não são naturalmente interdependentes, mas, sim, estão ligados por uma solidariedade do tipo que Lautman demonstrou existir entre propriedades local e global na matemática.

Isso não significa o estabelecimento de uma ordem que lhes é imposta, antes constituem um exemplo bem-sucedido de uma interpenetração de informações local-global produzindo formas consistentes e duráveis, capaz de manter a existência desse universo por um tempo significativo, permitindo a produção de uma história.

Infinito temporal: a eternidade de Gödel e as atribuições causais da teoria da relatividade geral

Vimos a questão do infinito espacial. Comentamos também a possibilidade de o universo ter uma existência em um tempo ilimitado no passado, ou seja, infinito. Mas há uma outra possibilidade que os físicos criaram e que envolve a noção que podemos chamar de infinito causal ou, com mais propriedade, infinito não causal. O que devemos entender por isso?

Para mostrar sua amizade a Einstein e seu enorme respeito pela sua obra, o lógico Kurt Gödel, em uma conferência proferida em 1949, enveredou por um caminho para além de suas contribuições usuais e nos ofereceu uma belíssima síntese dos efeitos atribuídos que a teoria da gravitação como descrita na relatividade geral provoca sobre o tempo.

Gödel construiu, no interior dessa teoria, uma configuração inusitada e extremamente difícil de ser entendida e mais ainda de ser aceita pelos físicos: a possibilidade de existir, em algum lugar, em nosso universo, uma curva capaz de se contorcer temporalmente sobre si mesma. Essas curvas, chamadas genericamente pela sigla CTC (tirada da expressão inglesa *closed timelike curves*), permite a um viajante cósmico passar pelo menos duas vezes pelo mesmo ponto na estrutura espaço-tempo gerada por corpos em rotação. Logo, é possível concluir, pode retornar inúmeras vezes a esse mesmo ponto no espaço-tempo.

Assim, um caminhante etéreo que tivesse sua trajetória controlada por essas curvas godelianas, poderia reproduzir a eternidade a que o mito se refere. Seria sua sorte igualmente trágica, mesmo sem ter-lhe associado um castigo divino? Essa eternidade inesgotável e que parece se identificar a um sonho não pode ser entendida como um pesadelo, mas dele não podemos escapar.

Esses caminhos colocam de imediato uma dificuldade à qual não se pode dar as costas. Seria possível, nesse retorno ao mesmo ponto espaço-temporal, alterar um evento que ali ocorreu? Não estaríamos, assim, trazendo à tona uma questão de princípio e que fundamenta todo e qualquer discurso sobre a ordem do mundo?

Pois essa é a questão que devemos enfrentar. E se não tivermos condições para apresentar uma resposta que seja entendida como adequada e satisfatória, deveríamos ao menos limitar as consequências desse fracasso. Para evitar essas dificuldades, os físicos, em sua grande maioria, aceitaram o ponto de vista simplista de que as curvas de Gödel são somente fantasias matemáticas associadas a uma teoria da gravitação e que não possuem realidade em nosso universo. Um dos físicos mais midiáticos, S. Hawking, enfatizando essa posição conservadora da comunidade dos físicos, ousou apresentar como argumento contra a possibilidade de viagens não convencionais a sentença: "afinal, não vemos muitos turistas vindos do futuro passeando por aqui, não é mesmo?" Ou seja, adotou a solução da Rainha de Vermelho, de Alice no País das Maravilhas: "vamos mudar de assunto!"

Nesse ponto, talvez fosse conveniente, para evitar atritos maiores, fingirmos adotar a atitude da maioria dos físicos e com uma voz bem baixa, apenas audível — mas gritante em nossas ações e em nosso íntimo —, adaptar a famosa frase de Galileu para acrescentar, ao nos referirmos a essas curvas godelianas, aceitando essa simplificação conservadora que as rejeita e até mesmo inibe sua análise ulterior, sussurrando ..."e no entanto, elas existem...".

Causalidade local e global

Em verdade, devemos distinguir dois aspectos da questão causal, que pode nos fazer entender que a visão newtoniana convencional de que "só podemos caminhar para o futuro" envolve o que entendemos por causalidade local. Uma outra estrutura, envolvendo o comportamento do universo em larga escala, consiste na causalidade global.

Embora os caminhos CTC de Gödel gerem uma dificuldade causal, podemos dizer que ela é limitada, ou seja, não produz uma anomalia causal completa. Localmente, em cada ponto de nossa vizinhança, a causalidade convencional, newtoniana, da física clássica, é preservada. As dificuldades causais aparecem globalmente. A causalidade global é uma característica do espaço-tempo associada àquilo que os matemáticos chamam de topologia, e pode ou não coincidir com a estrutura causal local. Estamos acostumados a reconhecer uma impossibilidade de violação causal em nossa vizinhança. No entanto, não podemos negociar a estrutura causal global, pois a física ainda não conseguiu entender os possíveis modos de selecionar, dentre as infinitas possibilidades, uma topologia para o universo em que vivemos, uma vez que os físicos não conseguiram associar a topologia do universo a alguma interação conhecida. Por exemplo, a teoria da relatividade geral descreve os processos de interação gravitacional pela modificação da geometria do espaço-tempo, e não tem muito a dizer sobre propriedades globais do universo. Isso permite imaginar a possibilidade de existir uma estrutura causal regular em nossa vizinhança e, no entanto, caminhos tipo CTC, violando a separação apriorística de passado e futuro, podem existir em escala cósmica.

Do ponto de vista prático, pareceria que os viajantes que podem reconhecer essas propriedades estariam hibernando em uma repetição interminável, e repetindo os mesmos gestos e efeitos. Repousam, poderíamos dizer, para que Chronos possa ditar as normas e regras a serem obedecidas e com as quais se construiu a civilização moderna.

Contudo, esses caminhos CTC colocam uma questão que não se pode ignorar. Seria possível, nesse retorno ao mesmo ponto espaço-temporal alterar um evento que ali ocorreu? Essa repetição indefinida que apontamos acima poderia ser alterada? Tal situação traz à tona uma questão de princípio e que fundamenta todo e qualquer discurso sobre a ordem do mundo.

Na natureza, reconhecemos que tudo aquilo que não for proibido de acontecer, acontece. Assim, enquanto a teoria da relatividade geral continuar sendo o paradigma de construção de uma explicação dos fenômenos gravitacionais, não podemos deixar de afirmar que esses caminhos CTC, possíveis de existir em nosso universo, contribuem de modo muito especial e singular para que o incluamos na lista de processos que não tem fim, em uma análise dos diversos modos de aparecimento do infinito.

Bifurcação no cosmos

Um fluido perfeito é representado por uma densidade local de energia (ou matéria sob qualquer forma) e uma pressão que, em geral — pelo menos assim ocorre no modelo padrão da cosmologia —, está linearmente relacionada à sua densidade. Outro tipo de comportamento constitui fluido dissipativo, uma configuração da matéria associada, por exemplo, a processos viscosos que possuem uma conexão não linear entre a pressão e a densidade, podendo depender também de outras variáveis, algumas delas associadas a uma natureza geométrica.

Processos dissipativos existentes em alguma fase do universo podem provocar o aparecimento do fenômeno de bifurcação no universo e a consequente indeterminação em sua evolução, alterando radicalmente a versão simples e convencional que os cosmólogos se acostumaram a aceitar. Essa bifurcação não é consequência de nenhuma proposta esdrúxula, nem aparece como consequência da violação de alguma lei física. Em verdade, ela nada mais é do que uma consequência natural do caráter não linear das equações da relatividade geral quando aplicadas a certas situações envolvendo a matéria responsável pela evolução do universo e que podem ter acontecido em épocas remotas.

É bem conhecido que certas reações químicas podem ser descritas pelo que os matemáticos chamam de sistemas de equações não lineares autônomos, isto é, equações que não possuem uma dependência explícita do tempo. A partir do exame dessas equações e da análise das propriedades de estabilidade dos estados fundamentais de equilíbrio de alguns sistemas químicos, Ilya Prigogine e sua colaboradora Isabelle Stengers escreveram um belo livro (A *nova aliança*) onde apresentam uma reflexão sobre as consequências dinâmicas envolvendo configurações de fluidos viscosos em distintas fases do processo de evolução de sistemas físicos localizados. O que eles não ousaram — e isso é compreensível, pois os cosmólogos também demoraram a aceitar isso — foi imaginar que esse tipo de processo de bifurcação pode acontecer em processos mais complexos, envolvendo como elemento fundamental o próprio universo. Um dos aspectos mais surpreendentes dessa configuração se refere ao caráter da perda explícita das características determinísticas do sistema de equações descrevendo processos irreversíveis. Dito de outra forma: esses processos contêm um germe de indeterminação. Prigogine conclui que, em razão dessa propriedade, o mundo se torna encharcado de historicidade e perde, assim, o caráter determinista que lhe havia sido imposto pela tradição como natural e absoluto. Essa historicidade de processos físicos, compreensível quando se trata de processos limitados, compactos, produzidos em laboratórios, como os que Prigogine examinou em seu texto, foi extrapolada de modo inesperado com a demonstração (Novello e Rodrigues) de que uma situação semelhante pode ocorrer em escala cósmica gerando a historicidade do universo.

Essa propriedade ocorre naquilo que os matemáticos chamam de sistemas dinâmicos e pode se referir a variados processos, desde as interações entre corpos materiais como descritos na mecânica, a evolução de um modelo de expansão do universo, os processos de crescimento populacional ou até mesmo as questões de trânsito em uma cidade. Todos esses distintos fenômenos podem ser descritos por um conjunto de equações especiais, não lineares, e que em geral não admitem simples soluções analíticas. Para poder prosseguir na análise do sistema em questão, diversos métodos foram desenvolvidos e permitem encontrar propriedades gerais dessas soluções mesmo que não tenhamos um modo fechado para descrevê-las.

No entanto, um caminho no mundo não é somente uma trajetória contínua ou não, regular ou não, quebrada ou não, no espaço-tempo; uma estrada por onde algum corpo se move, se desloca, se esgueira. Um caminho, latu sensu, é uma orientação, um guia, a direção de um processo que vai desembocar naquilo que simplificadamente chamamos lei física.

Na organização do mundo que a ciência tradicional fornecia, a característica mais fundamental, que lhe concedia então um caráter muito especial, consistia na univocidade daquele caminho. Cada estrutura, cada evento, possuía sua particular rede de pontes sucessivas, reais ou imaginadas, que deveriam ser atravessadas antes de chegar à sua causação. Esse caminho, projetado para além das particularidades fortuitas e desnecessárias, permitia de um modo unívoco e rigoroso chegar ao mundo real, às origens causais dos processos no mundo, sujeito então de análise e investigação. O momento supremo desse ponto de vista se consubstancia na afirmação, incontestada, de que existe um só mundo. Com base nesse esquema, se organizou o Programa Cosmológico de Einstein, produzindo uma ordem fechada a partir da qual se estruturou um modelo de universo: uma porção imensa de espaço e de tempo onde, graças à sua regularidade, a unidade do mundo é invocada. Em outras palavras, existiria um e somente um mundo de leis físicas bem definidas e ao cosmólogo competiria orquestrar essas leis na imensa harmonia das esferas celestes. Infelizmente, os últimos acordes sinfônicos parecem soar longe na história e um grande ruído cacofônico parece melhor representar os sons que vagamente conseguimos distinguir no cosmos. É J.-F. Lyotard quem, enfatizando uma nova orientação na física, afirma que *"la science postmoderne fait la théorie de sa propre évolution comme discontinue, catastrophique, indéterministe, paradoxale"*. Os argumentos que induzem a essa orientação são retirados da prática científica, através de críticas que se tornaram possíveis graças ao crescimento de correntes de ideias vindas de diferentes setores. Para isso, bastante concorreu o sucesso da sistematização da termodinâmica de sistemas fora do equilíbrio, bem como as críticas ao determinismo clássico na ciência da mecânica que, hoje, pretende afirmar a negação do mundo fixo, rígido, que outrora lhe era outorgado, ao ser conduzida a contabilizar os efeitos de processos físicos não lineares acarretando, ambas, uma orientação peculiar, onde a novidade, o evento não programado, se forja na prática do mundo, localmente, e não segundo os rigores de leis físicas que pairavam inexoravelmente longe de qualquer contato com mundos causais compossíveis. Assim, vemos, por exemplo, I. Prigogine e I. Stengers se referirem a uma nova aliança capaz de distinguir, por um lado, o comportamento estável, regular, bem comportado das leis físicas naquelas situações em que o fenômeno ocorre longe de seus múltiplos pontos de equilíbrio; e, por outro lado, as peculiares propriedades destes sistemas quando próximos daqueles pontos, acarretando a particularização de seu comportamento, sua não submissão a leis estruturais gerais, amplas e deterministas, num exemplo do que chamaríamos a historicidade do processo: a dependência da sequência lógica do mundo ao fenômeno, à ocorrência não predeterminada, inesperada. Em outras palavras, veríamos o afastamento, a quase negação da lei física (considerada, dentro do espírito tradicional da ciência, como estrutura rígida), quando flutuações genéricas passam a dominar o comportamento evolutivo de um sistema físico, nas vizinhanças daqueles pontos especiais de equilíbrio. Essa mudança de atitude na física foi possível graças, entre outros aspectos, à utilização, sem restrições, do método matemático de análise de sistemas dinâmicos, de processos representados por configurações possuindo bifurcações.

A teoria matemática das bifurcações se desenvolveu há mais de um século e, de Poincaré até hoje, conseguiu formalizar a ideia de que no mundo ocorrem situações em que um processo que chamaríamos catastrófico induz uma opção de trajetórias, bastante sensíveis a perturbações locais, eventualmente aleatórias. Assim, um caminho de comportamento de um sistema físico não está univocamente determinado por condições pré-fixadas, mas depende de pequenas e eventuais flutuações que ocorrem nas vizinhanças de pontos especiais de sua trajetória, reconhecidos e precisados pelo exame estrutural das equações que descrevem processos físicos, e que chamamos precisamente de pontos de bifurcação. Desse modo, nas fronteiras desses pontos, seríamos obrigados a abandonar uma descrição causal e ceder o papel à descrição casual do mundo, uma vez que a opção efetiva do trajeto a ser percorrido é impossível de ser fixada deterministicamente. Uma cadeia de eventos dessa natureza leva a introduzir a história do processo no mundo físico e à limitação de um pensamento cientificista que se acreditava fechado em si, na elaboração de um programa de descrição minuciosa de tudo que existe, através da diligente aplicação de uma ordem inexorável antecipadamente inflexível e eterna, imanente no mundo. A tradicional função precípua do cientista de explicitar aquela ordem, revelando as leis da causação do mundo, ficaria assim abalada. É importante citar aqui que, do ponto de vista matemático, o fenômeno da bifurcação não é fantasioso, nem provoca nenhuma desordem no pensamento lógico. É na física, na aplicação dessa estrutura matemática à natureza, que algumas de nossas injustificadas convicções sobre o papel da lei física na ordem do mundo parecem se abalar e conduzir a uma nova reflexão sobre ele. Nesse aspecto, a teoria da bifurcação desempenha um papel semelhante ao das curvas quebradas, geradoras do indeterminismo browniano, e dos processos quânticos. Todos eles apresentam o futuro como um processo, cuja irrupção no real provoca espanto, ao invés da indiferença que a ordenação por lei conhecida impõe. Que consequências adviriam em nossa representação do mundo, na visão que chamamos einsteiniana do cosmos, se fôssemos levados a uma descrição do universo por meio de equações que admitem pontos de bifurcação? De um só golpe, o mundo organizado da cosmologia tradicional desmoronaria e o cosmos enquanto unidade de exame cederia vez a um programa de ocorrências múltiplas causalmente desconectadas. Não poderíamos então referirmo-nos a um só mundo, posto que sua descrição se transfiguraria em múltiplas trajetórias compossíveis, em múltiplos universos. Para podermos continuar essa análise, sem que estejamos violando as leis da boa convivência científica, deveríamos poder exibir uma argumentação convincente o suficiente, para permitir a elaboração de um modelo factível, capaz de assegurar ao universo características típicas do comportamento acima sugerido, conduzindo a possibilidade de um processo de bifurcação. Sabemos que o campo gravitacional pode criar matéria, quer sob forma de matéria ponderável, quer sob forma de radiação, gerando em ambos os casos energia não gravitacional. Essa energia modifica a estrutura do espaço-tempo, sua geometria. Resta então a questão: qual a forma de distribuição do conteúdo energético dessa matéria recém-criada? Como pode ela ser descrita matematicamente? Embora uma teoria definitiva sobre o comportamento dessa matéria não seja ainda acessível à física, podemos hoje afirmar — baseados principalmente nos trabalhos de cosmólogos russos — que uma boa descrição fenomenológica trataria aquela matéria nova recém-criada como uma estrutura clássica, contínua, identificável a um fluido viscoso. Isso nos conduz para além da descrição da distribuição de matéria-energia da cosmologia convencional, onde ela é identificada a um fluido perfeito. Nessa nova descrição, entre outras propriedades marcadamente diferentes, a entropia do sistema não se conserva. Uma orientação do tempo consequentemente aparece, graças à segunda lei da termodinâmica, identificando uma privilegiada direção de evolução do mundo, associada ao crescimento daquela entropia. O mundo perde, assim, uma possível simetria temporal, ganhando, em contrapartida, uma ordenação temporal intrínseca dos fenômenos. Seria talvez importante notar que o processo viscoso é gerado pela alteração provocada no vazio (quântico) graças ao comportamento dinâmico do campo gravitacional. Este excita certos estados virtuais da matéria que, de outro modo, restariam em quietude para sempre, projetando-os no real. Em resposta a essa excitação que organiza a transmutação de energia gravitacional em matéria, essa reage sobre a estrutura do espaço-tempo, gerando modificação na geometria do mundo, em um processo em cascata de realimentação do mecanismo de criação da matéria. Num universo em evolução, as variáveis fundamentais com as quais podemos descrevê-lo podem ser reduzidas a duas: a densidade de energia (E) e a variação com o tempo de seu volume (V). A dinâmica do mecanismo de criação da matéria, descrito nessas variáveis, possui estrutura semelhante às equações que identificamos acima, constituindo um sistema que pode conter o fenômeno de bifurcação. Assim, podemos compreender que em um gráfico planar contendo aquelas duas variáveis, E e V, cada caminho, nesse gráfico a duas dimensões, descreve uma trajetória de evolução do mundo, um possível universo. Assim, nosso universo, aquela totalidade que pretendíamos única e fechada está representada por uma curva, chamemos C. É possível então que, em algum ponto — chamemos ponto Z — ocorre o fenômeno de bifurcação a que nos referimos. Se remontamos essa curva anterior a Z, que identificamos, neste esquema, como a fase anterior de existência do universo, vemos que atravessar Z, o ponto de bifurcação,[1] é escolher um caminho ou C, ou um outro, digamos B. A apresentação espaço-temporal do mundo que identificaríamos como o universo atual (trajetória C) pode ser estendida para além do ponto de bifurcação, pelo exame detalhado do comportamento do sistema físico que descreve a matéria e o espaço-tempo, a interação dos corpos com a gravitação. Passar através de Z equivale a participar da realização de um mundo, a escolha aleatória de um caminho com propriedades específicas distinguindo-o, basicamente pela sua realização, de outros caminhos compossíveis (por exemplo, B). Tal exame equivaleria, no caso do modelo-padrão, a ir além da singularidade, ao estudo de um pré-universo.

Esse salto de imaginação, a que somos aqui conduzidos pelo exame da dinâmica da interação matéria-campo gravitacional, isto é, do vazio com o espaço-tempo, e a existência do ponto

---

[1] Note que Z não representa necessariamente uma singularidade do espaço-tempo.

de bifurcação mostram que a era do universo em que vivemos não está ligada deterministicamente a um processo físico anterior. Embora possamos propor a identificação de uma trajetória de evolução do universo, como ocorre no modelo-padrão de Friedmann, onde a existência de uma singularidade apaga completamente a memória de uma possível etapa anterior, aqui também, ao levarmos em conta processos viscosos, nos deparamos com a mesma impossibilidade de organizar uma cadeia lógica determinista que seria atribuída, então, a processos físicos compulsoriamente sequenciais. Passar através o ponto Z é um fenômeno que deve ser aceito como um dado, sem uma causação legítima, sem previsão possível. Nesta descrição da matéria viscosa, geradora das propriedades do espaço-tempo, a escolha de um caminho, isto é, das características do universo atual, não estão nele marcadas. Isso implica a impossibilidade de podermos retraçar suas origens e processos de causação a partir de princípios ou estruturas primárias que poderiam estar nele contidas. Chegamos, assim, à inesperada constatação: as causas do mundo não estão no mundo. O universo parece se aproximar de uma configuração que Cantor trataria com cuidado em seus algoritmos permitindo uma inesgotabilidade vertiginosa e ao mesmo tempo rica e aberta, ao invés desse cenário pobre, triste e determinista que herdamos da cosmologia de Einstein.

Essas bifurcações seriam caminhos que o universo deveria escolher e seguir por sendeiros que estariam em nosso futuro, supondo que possamos ainda representar esse cosmos a partir de uma separação construindo um espaço tridimensional e um tempo global. Resta, então, aceitar as diversas propriedades como compossíveis em um mundo ainda em formação.

U-topia e U-chronos

A motivação para introduzir, em uma conversa sobre o infinito, estruturas que estão fora do espaço (utopos) e fora do tempo (uchronos), é enfatizar que todo o uso do infinito na física passa por situações envolvendo não somente aquilo que é entendido como um fato físico, mas especialmente a arena desses fenômenos, o território onde são descritos.

É possível imaginar um universo onde o tempo "não passa", isto é, um universo sem dinâmica, estático, fora da contabilidade temporal. Pura configuração espacial congelada no tempo ou, mais rigorosamente, sem referência temporal. Esse foi precisamente o modelo inventado por Einstein para obter a primeira aplicação cosmológica de sua teoria da relatividade geral.

No entanto, de natureza bastante diferente e mais difícil consiste a tarefa de imaginar uma configuração fora do espaço, mesmo que não lhe imponhamos nenhuma restrição temporal. Isso significa que, de fato, pensamos a descrição do tempo intimamente dependente do espaço. Como diz J. M. Salim, o tempo descrito na física moderna nada mais é do que um disfarce de uma configuração espacial. Pode ser diferente? O filósofo Henri Bergson propôs uma alternativa. No entanto, por várias razões, os físicos não a levaram seriamente em conta, embora aqui e ali alguns comentários sobre a crítica bergsoniana ao uso da forma newton-einsteniana do tempo tenha aparecido.

A separação espaço e tempo não pode ser completada enquanto as bases da ênfase local que fundam a geometria permanecerem. Isso porque a construção, na física, dessas configurações espaço-tempo é realizada no interior da visão einsteiniana de que a geometria do mundo deve ser identificada com os processos gravitacionais. Mesmo sem reconhecer essa limitação, vários cientistas, inclusive Einstein, se lançaram à tarefa de incluir outras forças na constituição da geometria. As razões para essas tentativas são várias, mas creio que podemos unificá-las somente com uma motivação maior: a hipótese apriorística da unidade do mundo.

Da análise de Lautman, que comentei acima, retiro a certeza de que existe uma solidariedade conciliadora dos diferentes níveis envolvendo tudo que existe. Isso não pode ser entendido como gerando uma necessidade ou obrigatoriedade formal em exibir uma unidade no mundo, a menos que a consideremos como uma ideia conveniente e simplificadora. E por quê? Creio que o melhor modo de entender essa dificuldade é apresentar um exemplo de como poderia ser diferente e, para isso, devemos abandonar a visão estritamente local da construção de uma geometria que privilegia uma visão atomística a partir de propriedades locais.

Antes, um pequeno desvio para fixar o contexto de meus comentários. Alguns físicos, que se autoproclamam idealistas, como, por exemplo, Roger Penrose, argumentam que o trabalho de Einstein, ao erigir sua teoria da relatividade geral, revelou algo que já estava presente. Segundo ele, Einstein não teria somente descoberto como descrever uma parte da física, a teoria da gravitação, mas, mais fundamental: teria revelado a natureza do espaço-tempo. Creio que essa afirmativa não é somente idealista — o que não seria um grande pecado —, ela é perniciosa para a evolução de nossos conceitos sobre o mundo, como o exemplo a seguir poderá esclarecer.

Unicidade do espaço, unicidade do tempo

A física clássica, a partir de Newton, estruturou a arena onde os fenômenos ocorrem a partir da ideia universal de que existe um espaço absoluto e um tempo absoluto. Essas duas configurações são a priori e não podem dar origem a uma análise que destrua esse caráter. Essa hipótese não criou nenhuma grande dificuldade prática entre os físicos, embora um certo desconforto pudesse ocorrer em algumas situações especiais. De qualquer modo, ela consistia em uma poderosa e útil hipótese de trabalho, mesmo que se tenham empenhado em várias ocasiões em negar que essa arena pudesse aceitar outra configuração, o que nos faz entender a *boutade, hypothesis non fingo* (não faço hipótese).

Multiplicidade do tempo (uma para cada corpo)

No começo do século XX, a partir de uma série de avanços notáveis realizados por Poincaré, George Francis FitzGerald, Hendrik Lorentz, Einstein e outros, sobre a dinâmica dos corpos em movimento, surgiu a proposta de associar a cada observador um tempo próprio. Isso implicava um afastamento das noções newtonianas de espaço absoluto e tempo absoluto a partir da hipótese de que diferentes observadores em repouso, ou em movimento uniforme uns em relação aos outros, possuem uma lei especial de correlação entre esses tempos, determinada pelo que se chamou as transformações de Lorentz. A aceitação dessa multiplicidade temporal pelos físicos só foi possível porque ela veio travestida da solução da incompatibilidade de duas teorias físicas solidamente estruturadas, no campo da dinâmica dos corpos materiais e na propagação da radiação eletromagnética. Os físicos só aceitaram aprofundar o conceito newtoniano do tempo porque se conseguiu operacionalizar esses tempos através de uma ordem construída pela comparação de relógios espalhados entre diferentes observadores. Foi a solução daquela incompatibilidade a razão para a aceitação dessa mudança radical na configuração temporal da física newtoniana. O resultado final foi a criação de uma nova estrutura absoluta, o espaço-tempo que culminou com a síntese einsteiniana na teoria da relatividade especial. As antigas configurações espaço absoluto e tempo absoluto foram diluídas e transformadas na unidade absoluta espaço-tempo que passou a ser o novo fundamento a priori, com a mesma propriedade fundamental de não ser ulteriormente desintegrado.

Podemos simplificadamente reter que a relatividade especial fundamentou a hipótese de que cada corpo material, cada observador possui um tempo próprio, individual, que lhe caracteriza. Perdeu-se o contexto comum que unia todos os corpos materiais através dessa profusão de tempos. O espaço, associado a cada observador através dessa particularização temporal, teve a mesma sorte.

Retorno à unificação: a geometria única

Essa perda de um território comum, de uma unidade que poderia servir como uma realidade comum a todos, foi compensada quando, na década seguinte, a construção da teoria da relatividade geral produziu uma nova unidade, a partir da hipótese de que um espaço-tempo comum a todos os observadores poderia ser construído ao aceitarmos a existência de uma mesma e única geometria. Essa geometria variável, dependente dos corpos materiais e energia sob qualquer forma, mudaria de ponto a ponto, mas deveria ser identificada ao campo de forças da gravitação.

Pois bem, estamos chegando ao momento em que a liberação dessa submissão à unicidade da geometria parece ser a condição necessária para irmos além da limitação desse espaço universal comum e darmos um novo passo na desconstrução do absolutismo sub-repticiamente instalado nos fundamentos da relatividade geral.

Multiplicidade de geometrias (uma para cada corpo)

Esse novo passo retém memória dos dois grandes movimentos que comentei acima, a relatividade especial e a relatividade geral. Da primeira, extraímos a individualidade de cada observador ou corpo material; da segunda, herdamos a possibilidade de utilizar a estrutura da geometria para empreender uma nova operação.

Na base dessa conjectura, encontramos a hipótese de que cada observador, cada corpo material, carrega consigo uma sua geometria especificada pela totalidade das interações que atuam sobre ele. Assim como na relatividade especial, cada observador carrega um tempo próprio; aqui, de modo semelhante, se dá um passo além e se associa a cada observador uma geometria. A partir do reconhecimento desse emaranhado de geometrias, que tipo de ordem espaço-temporal pode ser construída?

Nesse ponto, devemos uma vez mais nos reportar a Lautman e sua proposta de entender a conciliação entre o local e o global a partir da hipótese da construção de solidariedade. No entanto, como esse texto está se tornando muito técnico, isso me impõe que ele deve parar aqui. Se me deixei comentar essas questões, foi para enfatizar a dualidade local-global que persiste em toda consideração sobre a arena do mundo. Em outro lugar, nesse livro, irei comentar com detalhes como aparecem essas múltiplas geometrias que são associadas a cada corpo.

Conclusão ou as fronteiras incertas do infinito

Infinito, literalmente *in finito*, o que não tem fim, é o inacabado. Aquilo que não terminou, não pode terminar, o que persiste e continua — como essa nossa análise, onde apenas começamos um diálogo. Não deve provocar incômodo nem insatisfação se não conseguimos completar os detalhes da tarefa que nos propusemos. Faz parte de nosso tema. Todo final de um discurso é abrupto, embora algumas vezes ele tenha uma aparência tranquila por ter alcançado uma síntese e encerrado um capítulo. Trata-se de ilusão, espaço para ganhar fôlego e voltar mais adiante ao mesmo tema.

Nesse caminho para entender as múltiplas faces do infinito, espero ter conseguido estimular algumas ideias ao comentar olhares distintos da física, da matemática e da cosmologia. Minha formação de físico e cosmólogo foi a principal responsável pela escolha dos atalhos que percorremos. E dessa nossa conversa, dessa proposta de diálogo, o que devemos reter?

Sem pretender empreender um balanço exaustivo para exibir até onde conseguimos penetrar, podemos, ainda que superficialmente, revisitar esses caminhos percorridos.

Em verdade, eu estaria satisfeito e a missão cumprida se pudesse me identificar com um personagem de um romance que narra as peripécias de um viajante que foi acolhido nessa casa e a quem se pediu para contar uma história sobre o infinito. Ele escolheu relembrar passagens conhecidas de enredo conhecido, para não causar surpresas, mas fazendo-o de um modo especial, com uma ênfase particular, própria, uma história articulada entre diferentes saberes e, se fosse possível, cheia de sentidos novos — enquanto uma tempestade o impede de ir embora e reencontrar seus companheiros de estrada.

Por isso tentei seguir, sempre que possível, caminhos convencionais. A razão é que, como este não é o lugar para considerações técnicas exclusivas de um saber matemático, procurei adaptar minha narração a conceitos usuais, universais, com os quais lidamos com frequência independentemente de um conhecimento específico. Embora tenha conseguido seguir essa estratégia em quase toda minha análise, não me foi possível evitar deparar com uma surpresa, uma exceção, vinda de um personagem que me impôs um roteiro inesperado: Cantor.

Certamente, quando ele entra em cena, não podemos ficar insensíveis. O que diz a física, a cosmologia, a ciência em geral, produz admiração, respeito e, algumas vezes, encantamento e alegria. Mas nada se compara às propostas de Cantor. O que ele nos diz, o que ele sugere em sua chegada ao inexplorado domínio dos transfinitos, é mais do que ser-nos dado a conhecer os territórios dos deuses, sejam eles os encantados cenários celestes de Zeus, sejam as lúgubres regiões dos infernos de Plutão.

Lautman critica Russell e Whitehead por quererem atomizar a matemática e retirar-lhe sua componente histórica. A historicidade do cosmos é de outra natureza? Em capítulo posterior, tratarei dos transfinitos no mundo que, embora tenha aparência fantasiosa, é uma tentativa de mostrar como a atitude extremamente negativa dos físicos em relação ao infinito pode ser um simples instrumento de dominação de um pensamento que se pretende manter e impedir outras interpretações de processos em situações limite que exigem a mudança de paradigma.

O que podemos dizer aqui sobre a relação do infinito no mundo? Os físicos criaram teorias e leis que contêm inexoravelmente infinitos em suas descrições. Usam-se elaborados artifícios para evitá-los e as próprias leis da física são alteradas para isso. Esse empenho hercúleo mostra o desconforto que ele provoca em todo modo de descrição dos fenômenos que se identifica com a realidade. Isso nada mais é do que a impossibilidade de obter, em um processo de medida, com qualquer instrumento real, um número que não seja finito. Assim, nenhum observável pode representar esse estado infinito e, como o infinito não é o que segue de uma observação de um aparelho de medida, ele deve ser jogado fora, atirado para além das descrições científicas; ou, no máximo, aceitá-lo como uma estrutura assintótica, isto é, um estado inalcançável, impossível de ser explorado. Poderia ser diferente?

Em alguns importantes e singulares momentos na história da física do século xx, os positivistas tiveram que aceitar que investigações consideradas de natureza metafísica fossem empreendidas no interior de sua ciência. Um exemplo notável é a teoria quântica e sua incompreensível dependência do princípio de incerteza de Werner Heisenberg.

Para isso, no entanto, para que a análise metafísica pudesse estar presente até o momento no qual a teoria quântica fosse efetivamente aceita, mesmo que provisoriamente, foi necessário exibir uma eficiente instrumentalização desses conceitos metafísicos, permitindo a presença de representações materialistas incidindo no real. Ou seja, conseguir, a partir desses conceitos, construir uma explicação convincente gerando previsões e resultados capazes de serem observados.

Podemos, então, conjecturar que uma sorte semelhante esperaria o infinito? Para que ele não seja banido pelos físicos e possa entrar pela porta da frente no templo da ciência, deverá estar associado a uma instrumentalização que permita realizar operações convencionais, nem que seja uma álgebra especial negociando relações entre observáveis?

Não é possível, nesse momento, fazer previsões sobre se e quando isso ocorrerá. Entretanto, podemos aceitar que qualquer linguagem que permita ao infinito se tornar um conceito utilizável e prático deverá estar intimamente ligada às propriedades dos transfinitos. Ou seja — e essa é minha única certeza nesse território —, somente através de Cantor podemos empreender esse formidável e singular salto.

Os vazios e seus infinitos: elogio à imaginação

Impossível tentar um discurso sobre o vazio sem começar pelo espaço-tempo, a versão unificada que o século xx impôs, transmutação de um legado de um espaço e um tempo separados por 300 anos de dominação do pensamento newtoniano.

A universalidade da gravitação implica que a estrutura geométrica do espaço-tempo esteja intimamente associada a essa interação. A teoria mais bem aceita para descrever essa força é a relatividade geral. Entre várias características especiais que essa teoria possui, encontra-se uma que pode ser descrita, de um modo paradoxal, como admitir a formação de configurações que levam a afirmar que *existem vazios mais vazios do que outros*.

Para entendermos essa estranha afirmação, é preciso, em um primeiro momento, considerar que na relatividade geral tudo que existe tem duas formas básicas de aparência: de um lado, matéria; de outro, o espaço-tempo e sua geometria. Pelo termo genérico matéria entende-se toda e qualquer forma de matéria ponderável, como os corpos sólidos, bem como energia sob qualquer forma, seja compacta ou energia radiante, como pode ser o caso do campo eletromagnético.

A geometria do espaço-tempo, a arena onde os fenômenos do mundo acontecem, não é inerte. A ela é atribuída uma dinâmica, capaz de interagir com a matéria servindo de intermediário de interações. Essa dinâmica impõe que a geometria específica, em uma dada configuração, é determinada pela quantidade de matéria existente.

A física clássica não relativista, assim como o senso comum, define o conceito de vazio simplesmente como *ausência de matéria*. No entanto, tal construção, embora possa efetivamente determinar certo tipo de configuração que aceitaríamos como associada ao termo *vazio*, não esgota todas as suas possíveis formas.

A física quântica permitiu a definição de uma outra configuração: um vazio-cheio entendido como o complexo produto de miríades de partículas e antipartículas virtuais, gerando um resultado observável final nulo, em virtude desse balanço algébrico. Em outro lugar, tratamos desse caso e reconhecemos como esse vazio quântico produz divergências, valores infinitos para as formas matemáticas com que é descrito. Por isso, não me estenderei mais sobre essa configuração.

Cada campo, cada partícula elementar possui seu vazio particular. Precisamos unificar esses vazios. A teoria quântica dos campos TQC produz um esquema formal que permite a geração da matéria por operações formais efetuadas sobre o estado do vazio fundamental. Essa proposta da TQC, ao considerar todo estado de matéria sob qualquer forma como resultado de operações sobre um estado especial chamado vazio, que não contém matéria, instaura o predomínio ontológico desse vazio.

Devemos dar um passo além, superar o primeiro obstáculo para singularizar o vazio fundamental, o estado do vazio de todos os campos descritos em um espaço-tempo, ele mesmo vazio, sem rugas, sem distinção entre partes, com a mesma propriedade em todos os lugares, sem curvatura, liso, plano: o espaço-tempo utilizado na teoria da relatividade especial e que Minkowski construiu formalmente.

Na seção anterior, sobre a questão do infinito e das formas físicas, tratamos brevemente do processo pelo qual os físicos elaboraram um esquema matemático capaz de construir a matéria que existe a partir daquele estado vazio onde essa matéria não existe. Mas como lidar com esse vazio em um cenário cosmológico? Como tratar um espaço-tempo livre de matéria, mas que não se identifique com esse vazio total e absoluto que a relatividade especial faz uso, na ausência de processos gravitacionais?

Dito de outro modo, existiria um vazio de matéria em um espaço-tempo que não fosse completamente vazio? Ou melhor, existiria um espaço-tempo curvo, possuindo geometria modificada, sem que a matéria saísse de seu estado vazio fundamental? Inesperadamente, somos levados a reconhecer que sim, isso é possível de ser construído.

Penetramos, então, no domínio onde a relatividade geral oferece uma terceira possibilidade para a definição de vazio. Para entender essa proposta, precisamos fazer um pequeno desvio e considerar um caso particular importante dessa teoria.

A geometria de Kasner

Uma das características menos atraentes das equações da teoria da relatividade geral é que elas admitem soluções de difícil interpretação física. Ou, até mesmo, algumas vezes, sem uma interpretação física aceitável. Para alguns cientistas, a geometria de Gödel, por exemplo, é um destes casos. Outra, é a geometria descoberta pelo matemático americano E. Kasner.

A relatividade geral descreve a dinâmica do campo gravitacional segundo os mesmos padrões tradicionais usados desde Newton. Isto é, através de equações matemáticas que relacionam, de um lado, o campo gravitacional – identificado com a geometria do espaço-tempo – e, de outro lado, como fonte da métrica do espaço-tempo, a matéria e energia sob qualquer forma.

Kasner, ao invés de seguir o método convencional de exibir a forma da matéria para, em seguida, descobrir, de acordo com soluções das equações da teoria, qual a forma da geometria que aquela matéria poderia produzir, resolveu inverter esse processo. Ele propôs fixar a priori a forma da geometria para, em seguida, procurar o tipo e as propriedades da matéria que a teriam gerado.

Sua geometria guarda características semelhantes àquelas que os construtores da cosmologia relativista, Einstein e Friedmann, haviam proposto. Compreende uma separação entre um tempo global, cósmico, e um espaço tridimensional de modo bastante semelhante ao mundo newtoniano. Essa geometria compreende ainda uma dinâmica, varia com o passar do tempo cósmico, distinguindo-se, nessa característica, do modelo de Einstein e aproximando-se formalmente do cenário de Universo Evolutivo de Friedmann, portando também uma singularidade inicial onde toda quantidade associada à geometria assume valor infinito.

A questão crucial então aparece: qual a fonte desta geometria? A resposta é inesperada, pois não se trata de nenhuma forma de matéria ou energia, isto é, esta geometria é uma solução exata da relatividade geral sem fonte!

Desse modo, o cenário cosmológico de Kasner introduz uma noção de vazio distinta das duas anteriores, pois sua métrica, correspondente a um vazio de matéria, não se identifica com o espaço-tempo plano, livre de qualquer defeito, pois constitui uma configuração métrica curva, cheia de dobras, autogravitante.

A origem deste curioso comportamento está relacionada ao fato de que as equações da relatividade geral são não lineares. Já fizemos vários comentários a este respeito. Aqui, devemos acrescentar mais este: a não linearidade permite a produção deste universo vazio gerado a partir de uma singularidade inicial que não deve sua existência à matéria, pois constitui uma singularidade puramente geométrica, uma espécie de big bang sem fonte. Um tipo semelhante de singularidade, que dá origem ao Universo de Friedmann, também acontece aqui, está igualmente na origem deste Universo de Kasner. Estas singularidades têm a mesma função: constituem momentos a partir do qual tudo que existe — isto é, matéria e geometria curva, no caso de Friedmann; e pura geometria, no caso de Kasner — são projetadas na realidade. Esse vazio de Kasner é inimaginável no esquema conceitual newtoniano, bem como em nossa representação cotidiana do mundo.

Surge, então, o momento para o qual estávamos nos preparando: esses vazios possuindo estruturas formais divergentes, fazendo aparecer infinitos que não podemos tratar como configurações convencionais, observáveis, podem reagir a ações externas?

É possível este estado *vazio* sofrer uma ação que vá além desse inalcançável estado que designamos pelo termo *infinito*, mesmo que em um primeiro momento seja somente através de uma experiência de pensamento, como costumava imaginar Einstein? A teoria quântica produziu uma primeira proposta que tem sido fartamente utilizada no que concerne às partículas elementares. Podemos ter acesso a outro caminho?

As mudanças que o infinito permite

Há processos físicos que atuam sobre um dado corpo sem produzir alteração visível sobre ele. Tratamos isso como uma ação inútil. Sua repetição seguidamente não deveria alterar essa situação. Mas, quando essa ação se repete e repete e repete e repete e repete e repete indefinidamente, pode acontecer que em um dado momento algum processo ocorra produzindo uma modificação no corpo. Ele então se transforma. A ação inconsequente começa a gerar efeito.

De onde veio essa mudança? De onde apareceu essa consequência inesperada? Como ela pôde surgir se tentávamos muitas e muitas vezes sem sucesso? Por que a natureza se transforma simplesmente por uma ação que não produzia consequências, mas que, por repetição ilimitada, começa ulteriormente a fazer efeito? Em que território devemos entender essa operação? Em que domínio do corpo essa ação modificadora se faz sentir, vibrar, mas que permanece ignorada por tudo à sua volta? Onde, em que domínio íntimo essa repetição começa a fazer efeito?

Parece inútil pensar em ir além do infinito. Cantor mergulhou em um território formal, imaginativo, cujo acesso é proibido, impossível de vivenciá-lo: a matéria não pode tocá-lo.

E, no entanto, conseguimos imaginar mundos onde esses infinitos podem resgatar uma realidade escondida. Que realidade é essa? O que está para além desse infinito? Não se pode descrever o que ali acontece. Faltam palavras para serem usadas nesses territórios. Esses infinitos que ocorrem nesse mundo formal, como trazê-los para cá, para o que chamamos realidade?

Eu deveria interromper aqui minha narração, pois não sabemos como responder a essas indagações. Contudo, ousarei a ir além, avançando em uma realidade não controlada.

Ultrapassando a repetição: que tipo de mudanças o infinito permite?

Essa seção trata de uma incursão em um território inexplorado e desconhecido, através de uma ideia utópica, a partir da hipótese de que a atitude extremamente negativa dos físicos em relação ao infinito pode ter contribuído para a ausência de outras interpretações da natureza e limitado, em vários aspectos, a contribuição dos cientistas na construção do real. O que segue é uma idealização de como seria possível gerar um operador matemático capaz de ultrapassar essa barreira através de um exemplo específico. Para isso, devemos nos preparar para produzir uma proposta para além do dialeto newtoniano que controla ainda hoje o modo dominante de pensar a natureza. Trata-se daquilo que chamarei *passagem de nível*.

Vimos como a ênfase, seja no atomismo, seja na declaração da dependência completa das leis físicas locais em relação à estrutura global do universo podem produzir limitações que Lautman muito bem apontou ao considerar a relação entre propriedades locais e globais.

Após o longo caminho que vimos percorrendo, podemos negociar uma possível síntese e ir além do que foi construído associado a uma restrita visão científica dos fenômenos quando diversos infinitos se interpõem mediando e restringindo uma descrição formal. Podemos ir além dessas limitações? Há outro caminho que não aquele que os físicos aceitaram como única solução possível, isto é, a eliminação completa do infinito?

Excluir arbitrariamente o infinito do corpo de situações possíveis pode ser entendido como o impedimento de um modo específico de acesso ao real? Afinal, é inevitável evitar o infinito, como fizeram até aqui os físicos? Ou devemos usá-lo como elemento de extensão em uma situação crítica?

Seria possível, ao menos, construir uma linguagem, uma forma de procedimento formal que permita torná-lo um instrumento, que permita a passagem de uma configuração — que chamaríamos então de nível ou fase — a uma outra? Como se daria essa passagem e que fases seriam essas que se distinguiriam por uma porta de entrada/saída à qual estaríamos atribuindo esse papel singular e especial ao infinito? No que segue, procurei apresentar como um instrumento matemático pode ser construído, embora não tenha a pretensão aqui de exibir todas as etapas que levariam consistentemente a produzir uma álgebra que contribua para uma resposta afirmativa, mas, sim, dar um primeiro passo nessa direção.

Um sonho matemático: os transfinitos no mundo

Projetores

Os pescadores reconhecem pelo tamanho Ω dos buracos de uma rede os peixes que podem obter como resultado de a jogarem no mar. Os peixes grandes, maiores que as dimensões da trama da rede, são retidos, os menores escapam pelos buracos e não podemos apanhá-los com esse instrumento. Repetir essa operação, com essa mesma rede, não muda em nada o resultado.

Os matemáticos chamam o procedimento formal que simboliza essa operação da rede de **projetor**. Assim, projetor é um operador que separa nítida e universalmente dois tipos de configurações complementares. No caso acima, essas duas configurações estão representadas pelos conjuntos A e B, assim definidos:

A é o conjunto dos peixes maiores que Ω; B é o conjunto dos peixes menores que Ω, sendo Ω o projetor.

Uma característica notável do projetor é sua eficiência. A operação de um projetor é absoluta, isto é, depois de realizada, ela separa inequivocamente em duas classes os objetos sobre os quais operou. Uma segunda aplicação desse projetor não muda o resultado da primeira. Isso é representado formalmente pela simbologia $\Omega^2 = \Omega$.

Ou seja, o quadrado da operação Ω, o resultado de sua realização repetida duas ou mais vezes seguidas é idêntico ao de uma única operação.

Ou seja, podemos escrever $\Omega^n = \Omega$, qualquer que seja n pertencente ao conjunto dos números naturais. Essa propriedade do projetor ocorre em sucessivas operações finitas. Devemos aceitá-la como um procedimento universal cuja estrutura se mantém ao ser transportado para o território dos transfinitos, quando n for identificado com um transfinito?

Para tentar responder a essa questão, para que ela faça sentido, devemos nos libertar da hipótese de que o infinito, como vimos considerando nesse texto, nada mais é do que uma imagem, um procedimento formal que se instaura no território da matemática, mas que não possui realidade no mundo. Podemos abandonar essa restrição? Vamos, momentaneamente, ir além e nos deixar guiar pela fantasia, permitindo que a imaginação possa ultrapassar a representação do real que os físicos impõem e construir uma metodologia. Seguindo os cânones da matemática, escolhemos dotar essa fantasia de um procedimento formal preliminar, deixando que sua interpretação e eventual aplicação ao mundo seja tarefa para uma etapa ulterior. Em outras palavras, concentremo-nos aqui na utopia.

Operadores transfinitos

Começamos por construir um operador que depois de um número finito de repetições produz sempre, e em cada uma de suas aplicações, o mesmo resultado: trata-se de um projetor, digamos Ω.

Em seguida, aparece a questão: o que aconteceria se repetíssemos essa operação um número infinito de vezes? Espera-se, é natural imaginar, que coerentemente com as propriedades que seguem de sua definição, nada mude. Poderíamos obter um resultado diferente ao aplicarmos essa operação um número transfinito de vezes? E, se isso fosse possível, saberíamos localizar onde se passou a transformação?

No mundo quântico, os físicos mostraram que nem sempre um elétron excitado em uma órbita em torno de um núcleo contendo prótons e nêutrons pode retornar a seu estado anterior e emitir sua energia de excesso. Para que isso seja possível, é preciso que o elétron seja excitado com uma energia bem determinada ou pelo menos que permita a passagem da órbita excitada para uma outra órbita não excitada. Isso se deve precisamente ao processo de existência de *quantum* específico de energia: trata-se do mundo quântico, com propriedades distintas da física clássica que nos cerca e à qual estamos cotidianamente acostumados.

De modo semelhante, Marie Curie mostrou que existem elementos na natureza que exibem o fenômeno de radiação, gerando a desintegração da matéria e entrando no território da estatística. Sabemos que um certo número de elementos de um corpo radioativo irá se desintegrar através da alteração em alguns de seus átomos. No entanto, não sabemos especificar quais se desintegrarão no próximo momento.

Podemos interpretar esse fenômeno argumentando que alguma forma de processo coletivo desemboca em um movimento local e imaginar que um certo estado que chamaríamos de latente percorre essa substância. Seria esse o modo de entender o que se passa em um processo como o que estamos sugerindo?

Se isso fosse possível, se pudéssemos efetivamente construir uma tal repetição transfinita criadora, que simbologia deveríamos lhe atribuir? E, mais ainda, como associar tal operação a uma componente física? Ou deveríamos abdicar de construir um só cosmos e aceitar outra possibilidade, como alguns cosmólogos querem nos fazer crer ser possível?

De qualquer maneira, o que se produz nessa operação transfinita é a novidade, aquilo que não se encontrava no corpo de propriedades da fase anterior, a não ser que consideremos essa transfiguração existindo na fase anterior como latente. Sim, trata-se da passagem de uma fase a outra que não a contém, pois exige que aceitemos que o túnel transfinito que permite esse salto seja dotado de propriedades esdrúxulas. Seria necessário passar por esse caminho do infinito para saltar de uma fase a outra? Sabemos que diversas configurações permitem a passagem de uma fase à outra, como acontece no túnel operador de temperatura entre fases líquida e gasosa, por exemplo. Poderíamos ser guiados por essa analogia? Embora os físicos costumem empregar esse método de analogia em suas hipóteses, ele não deve ser aceito como gerador de um procedimento eficiente se não pudermos acrescentar realizações menos especulativas.

Eu não me estenderei mais nesse caminho que mais parece levar a um *Holzwege* heideggeriano. No entanto, parece-me que é nesse território, nesse inacessível recanto onde construímos a realidade, que devemos perguntar sobre a aparição do infinito.

As leis da física e a criação do mundo

Há algum tempo assisti a uma peça teatral na qual três físicos discutem questões fundamentais. Ao longo da encenação, vamos conhecendo suas personalidades. Um deles, chamemos de A, pretende ser um novo Bohr e conhecer profundamente a microfísica; outro, B, se identifica com Friedmann e pretende descrever completa e definitivamente a dinâmica e evolução do universo; o terceiro, C, pretende ser a versão atual de Einstein e alterar toda a ciência futura. Com o desenrolar da peça, somos informados de que, para C, não é suficiente produzir uma excelente teoria, um trabalho notável que revolucione a física: sua ambição é muito maior e transcende os limites convencionais da ciência. Não quer descrever uma teoria, mas todas!

Na peça, C passa a maior parte do tempo se perguntando o que fazer para estabelecer as regras pelas quais as leis da natureza se fizeram. Identifica a lei da física não como uma representação, mas como a tradução fiel, usando a linguagem dos físicos, do que considera *as verdadeiras leis da natureza*. Ele quer entender não esta ou aquela lei, mas o próprio mecanismo usado pela natureza para estabelecer suas Leis definitivas.

Esses personagens são apresentados como caricaturas de físicos e de suas vaidades pessoais. No entanto, eles não são tratados pelo público com igual atenção. Embora na maior parte do tempo a plateia sinta uma enorme empatia por C, ela considera o papel desse personagem mais inverossímil que o dos outros. Não em sua prática social, em sua corrida para alcançar reconhecimento e fama, mas, sim, quanto ao tema, que parece totalmente fora da função do cientista identificado como aquele que pretende descobrir o modo de funcionamento da natureza, não o seu porquê.

A plateia é capaz de aceitar uma nova revolução no mundo das partículas elementares. Afinal, a mecânica quântica fez isso mais de uma vez. Igualmente, não causa espanto notável que alguém possa propor uma inesperada e revolucionária descrição global do universo. Afinal, o cenário da cosmologia foi dominado durante muito tempo pela vaga e incompreensível ideia de que o universo teve um começo singular há uns poucos bilhões de anos a partir da explosão de um ovo inicial. E, recentemente, começou-se a difundir a ideia (não menos difícil de compreender fora do contexto da ciência) de que o universo tenha tido uma fase de colapso anterior a esta atual fase de expansão de seu volume total e de que seja eterno.

Dito de outro modo, as visões grandiosas de A e B e suas pretensões são consideradas como possibilidades reais, que competentes cientistas poderiam empreender com sucesso. Não criam nenhuma impossibilidade no imaginário da plateia. No entanto, parece totalmente irreal a perspectiva de C. Não se acredita que um cientista possa mergulhar tão fundo em sua ciência com o propósito de descobrir como a natureza se organiza para gerar aquilo que é descrito como "as leis da física". A ciência descreve as leis, e não como elas são feitas.

Saio desse teatro. Mergulho em outro mundo encantado e vou procurar entender por que parece tão absurda e incompreensível a tentativa de descobrir os mecanismos pelos quais a natureza constitui as leis físicas.

Não se deve perder de vista que aqui estamos lidando não com o efeito histórico das mudanças que as diferentes descobertas dos cientistas têm tido e que alteram, de tempos em tempos, a descrição dos fenômenos físicos e suas interconexões. Não é a essa variação sistemática e regular que estou me referindo. Mas talvez não fosse irrelevante um breve comentário sobre o modo de refletir a volúvel prática dos cientistas, pois essa característica é entendida como um aperfeiçoamento do conhecimento científico associado às várias mudanças e revoluções nas principais ideias que constituem o corpo básico das leis da física, o que é típico da prática científica e a distingue de outros modos de pensar o mundo.

Reconhecemos a mutabilidade da interpretação dos fenômenos da natureza graças aos avanços teóricos e das técnicas. Sabemos também que cada alteração na explicação de um processo físico não inviabiliza a lei vigente até então, e sim limita o alcance de sua aplicação, propondo mudanças além do território de sua validade.

Por exemplo, Einstein e sua teoria da relatividade geral não mostraram que Newton estava errado ao estabelecer sua lei universal da gravitação, mas que essa lei é válida somente em um conjunto restrito de condições. A teoria de Einstein limitou o alcance da teoria newtoniana, não a inviabilizou totalmente, restringindo somente o domínio de sua aplicação.

Quando o personagem C quer conhecer como são feitas as leis da natureza, ele não está se referindo a essa mutabilidade que historiadores e filósofos como Paolo Rossi descreveram com cuidado e compreensão. Não. Aqui, está-se tratando daquelas Leis que independem dessa particular historicidade do pensamento científico. É claro que se está perseguindo uma idealização.

Em um primeiro momento, dever-se-ia aceitar implicitamente que essas leis sejam válidas sempre. Ou, se não for assim, dever-se-ia entender como é possível acessar o mecanismo que controla essas alterações. A física se organizou aceitando que isso não é possível, isto é, as leis da natureza são independentes do espaço e do tempo. Em particular, as quatro forças que determinam todos os processos físicos não variam no espaço e no tempo.

A imutabilidade dessas leis faz parte da crença científica. Aceita-se que as leis descobertas na Terra e em nossa vizinhança sejam válidas em todo o universo. Essa é uma boa hipótese e devemos estar preparados para alterá-la, se ela conduzir a situações que entram em choque com observações. Esse é o método científico em ação.

Mas e se não for assim? E se essas leis forem dependentes de sua situação espaço-temporal no universo? E, por exemplo, se elas variarem no tempo?

Sob o espectro de Ptolomeu

O matemático francês Henri Poincaré argumentava que o papel dos astrônomos na certeza de que a Terra gira sobre seu eixo e em torno do Sol não era indispensável. Ele se convencera disso através do exame dos argumentos, cada vez mais complexos e mirabolantes, que haviam sido criados para explicar os movimentos nos céus. Após testar inúmeras hipóteses e ampliá-las cada vez mais com propriedades inusitadas e complexas, algum cientista — diz Poincaré — haveria de ter chegado à certeza de que a Terra não é o centro do mundo e por uma única razão: ela é a hipótese mais simples!

Esse exercício de construção teórica contado pelo filósofo Hans Blumenberg nada mais é do que um exemplo particular de uma atitude bastante disseminada entre os cientistas do que se convencionou chamar "a navalha de Occam". A escolha do modo mais simples, do caminho menos tortuoso, daquilo que parece ser a forma natural de construir uma explicação para os fenômenos: é esse processo que se costuma atribuir ao procedimento de Occam.

A decisão de apelar para essa prática tornou-se um imperativo na comunidade dos homens de ciência que a erigiram como *natural*: os cientistas passaram a entender essa aceitação como condição mínima para estarem ligados à academia. Verdadeiramente, pode-se não ter nada que os una, mas conseguiu-se um protetor comum. Viver à sua sombra é diminuir os caminhos possíveis de investigação, mas protege. Aceitar esse procedimento como uma regra sólida pode impedir o crescimento do conhecimento, mas concede territórios de trânsito nas sociedades científicas.

É simples, é conveniente para a prática dos cientistas se proteger valendo-se de Occam, pedir-lhe ajuda em momentos difíceis, de outro modo, poderiam gerar uma crise no modo racional de descrever o que existe. Entre duas descrições — uma simples e outra complexa —, escolhe-se a simples. E, no entanto, como método para agilizar a solução de uma crise, como um procedimento sistemático entre alternativas que uma teoria encontra em seu caminho, essa escolha é temerária, pois em longo prazo pode gerar um poderoso e inibidor preconceito. A *boutade* de Poincaré pode ser criticada em diferentes graus. Vejamos um deles.

Um exemplo contundente da necessidade de uma nova versão do movimento simbolizado por Nicolau Copérnico aparece na cosmologia moderna e em sua batalha para abandonar uma condição diminuta que lhe foi imposta pelos físicos ao ser identificada como nada mais do que uma *física extragaláctica*, a partir da hipótese de que não há nada de novo para além do Sol. Escolhemos usar a navalha de Occam ao aceitar que o universo se construiu a partir das mesmas leis terrestres e que elas exibem em cada parte a mesma estrutura que deve ser associada ao todo.

É compreensível que, ao procurarmos as leis da natureza além de nosso sistema solar, além de nossa galáxia, em dimensões cosmológicas, comecemos esse caminho extrapolando as leis que organizamos na Terra e em nossa vizinhança. Para sustentar essa ideia, ela se faz anteceder de um princípio unificador da unidade do mundo e de coerência das leis da natureza. Todavia, inibir o pensamento científico, impedindo-o de ir além dessa generalização simplista, tem hoje efeito semelhante ao da visão ptolomaica: antes, habitávamos o centro do mundo; hoje, propõem-se aceitar que as leis da natureza identificadas na Terra valem para todo *o* universo. Trata-se do mesmo procedimento de fechamento ao novo associado à imagem do perigo que ele traz. A hipótese de que a cosmologia não traz novidades sobre as leis fundamentais da natureza equivale a produzir a atualização dos princípios que geraram a proposta do sistema geocêntrico, submetendo o pensamento a uma prática castradora que exclui a novidade. Em outras palavras, é criar um sistema de restrições que só poderão ser eliminadas graças ao aparecimento de um novo Copérnico que, esperemos, será capaz de afugentar essas limitações, abrindo o pensamento à procura de novas estruturas não convencionais e que desemboquem em riquezas conceituais inesperadas. Tudo leva a crer que esse procedimento de construção de uma configuração única capaz de representar o Universo não tem fim.

Dirac, Hoyle, Lattes e outros: variação das leis físicas

Talvez Dirac tenha sido um dos mais imaginativos físicos do século xx com sucesso reconhecido por seus pares. Dentre seus trabalhos mais originais, encontramos a proposta de variação das leis físicas com a expansão do universo. É verdade que o modo pelo qual ele apresentou alteração foi muito ingênuo e simplista. No entanto, teve a coragem de propor que as leis básicas da física não são imutáveis, mas devem variar no cosmos, consequência do fato de que o universo está envolvido em um processo de expansão. Isso significa que as características do universo mudam com o passar do tempo cósmico. Se assim é, argumenta Dirac, as próprias leis físicas não poderiam exibir uma dependência para com essa expansão? Ou seja, poderiam variar com o tempo. Sua proposta foi simples: somente as constantes fundamentais — que caracterizam as interações eletromagnéticas e gravitacionais — variariam.

Não interessa aqui os passos ulteriores dessa ideia, nem as razões pelas quais a grande maioria dos físicos a rejeitou, mas sua própria existência e o fato de que outras formas de dependência menos simplistas, mais sofisticadas, mais realistas, envolvendo outras interações da microfísica, puderam ser elaboradas.

Isso nos projeta no caminho de conhecer o modo pelo qual essas variações podem acontecer e como seriam observadas. Mais adiante, o seu mecanismo de alteração deveria ser procurado, associando as alterações a algum critério de sobrevivência — latu sensu — para o universo. Proibir, por exemplo, uma lei que tenha como consequência um tempo insuficiente de existência do universo incapaz de permitir o aparecimento da vida na Terra. Ou, em caráter mais geral, sustentar a hipótese de que as leis físicas deveriam ser tais que fossem capazes de permitir a estabilidade de certas configurações. Isso é considerado um bom critério.

Alguns cientistas levaram esse modo de pensar ao seu extremo argumentando que o universo produziu suas leis desse modo e não de outro precisamente para que fosse possível, em alguma época de sua evolução, o aparecimento de cientistas que refletiriam sobre essas questões. Tais propostas contêm uma série de argumentos antropomórficos que a muitos cientistas têm aparecido como inevitáveis. Trata-se de uma argumentação que, em sentido inverso, se assemelha à astrologia. Enquanto essa sustenta que há uma influência dos astros sobre o destino dos homens, a visão daqueles cosmólogos se baseia na dependência da evolução do cosmos em relação à existência dos homens.

A essa análise que vimos fazendo podemos acrescentar uma outra questão capaz de provocar uma dificuldade maior na tentativa de formular um modelo cosmológico: a imprevisibilidade da evolução do universo. Com efeito, alguns cientistas argumentam que a descrição da matéria existente no universo e a dinâmica gravitacional que controla sua evolução permite a existência de uma fase semelhante a um processo não linear, admitindo uma bifurcação – fenômeno bem conhecido pelos químicos e matemáticos –, o que levaria a aceitar que as causas do mundo não estão no mundo. E se é assim, como podemos conceber uma hierarquia entre as leis e suas variações? Seria verdadeiramente possível a existência de uma tal bifurcação no universo? Essa é uma questão técnica que deixarei para examinar em outro lugar, assim como suas consequências e a imagem do universo que ela pode produzir. Um comentário adicional nessa direção permite entender as dificuldades com as quais poderíamos nos envolver ao tratar essa questão e encerra o segundo ato daquela peça quando o personagem C argumenta, dirigindo-se não a seus pares A e B, mas sim à plateia:

A formação das leis físicas é concomitante à "criação do universo"? Se as leis físicas podem evoluir, mudar com o processo de evolução do universo, poderíamos produzir uma análise dessas leis a partir de algum critério que impusermos aos objetos que existem? Como, por exemplo, o critério de estabilidade, que deveria ser precisado a partir de um antropomorfismo ao qual deveríamos recorrer para, a partir de nossas observações, criar um cenário de descrição que poderia ser considerado dentro dos cânones convencionais da razão física. Ou será que devemos estabelecer, antes, uma crítica da razão física e, nesse caso, seria mais apropriado chamar de crítica da razão cósmica?

Não lembro como o terceiro e último ato daquela peça terminou. Mas se pudesse lhe dar um final, escolheria um texto que poderia ter sido apresentado por C e permitiria entender seu caminho utópico rumo ao conhecimento de como se estruturam as leis do universo. Eis então o discurso que não aconteceu naquela peça:

A grande evolução da ciência, nas últimas décadas, levou-nos a nós, físicos, à conclusão de que, ao empreendermos o exame, na elaboração da cosmologia, de tudo que existe, a saber: o espaço, o tempo, a matéria e a energia, estaríamos, assim, atingindo (mantendo-nos, em conformidade com a tradição da física, no interior da prática científica) as fronteiras mais externas permissíveis a todo conhecimento que se pretende científico.

No entanto, hoje — por razões e práticas que já comentei em outros lugares —, somos conduzidos a reconhecer, talvez contra uma das mais sólidas crenças em nossa visão racional da natureza, que nós (os físicos) estávamos profundamente enganados. Não somente é possível ir além da cosmologia — enquanto prática científica —, mas uma série de questões geradas naquela atividade assim o exigem. Dentre essas, a mais formidável é precisamente aquela que estamos considerando: a criação do universo.

Sabíamos de longa data que toda tentativa de organização de uma estrutura coerente do universo, para além de suas dificuldades observacionais, que pretenda coordenar sequências de mundos, esbarra inevitavelmente em uma selva linguística. Trata-se aí, preliminarmente, de uma análise verbal. Por exemplo, os infinitos tempos que se repetem, os possíveis ciclos de universo que antecederam e que seguirão eventualmente esse nosso cosmos, os diferentes universos-filhotes, suas interconexões ou sequências existenciais, não podem constituir uma cosmologia, tratam de outra coisa, têm outro objetivo: tratam de estruturas que estão e estarão, talvez para sempre, no domínio da imaginação, do ultrassensível, dentro de um programa teórico fora de controle observacional.

Os físicos de hoje e de sempre não escapam dessa tentação e, mais do que isso, não sabem resistir a ela. Infelizmente (ou não) parece não existir alternativa fora dessa fórmula: metacosmologia é onde todos nós, físicos e cosmólogos, cedo ou tarde, conscientemente ou não, em nossa prática e sem sair dela, devemos penetrar. A menos que por algum sortilégio fantasioso, e sem estarmos em seu controle, nos encontremos em face de uma tentação dogmática, como vez ou outra já nos ocorreu. Aí, e somente aí, podemos parar nossa investigação e encerrar nossa pesquisa nos escondendo por detrás de um dogma, venha ele travestido de qualquer forma. A partir de então, termina nossa caminhada como cientistas: começa o tempo da narração.

Mas o que é isso, a metacosmologia? Para entender o significado dessa expressão e colocá-la no contexto da prática científica, podemos escutar o que diz o texto do livro O *que é cosmologia?*:

A análise da aplicação das leis da física ao universo, bem como sua extensão iniciada por Einstein, que vimos examinando neste nosso ensaio, serviu para que pudéssemos ter uma ideia, mesmo que superficial, da função da cosmologia. Podemos agora olhar para trás e rever a estrada por onde caminhamos e se conseguimos sair da floresta ou se nos perdemos por lá. Afinal de contas, um caminhante que se embrenha na floresta pode iniciar seu caminho aleatoriamente ou seguir passo a passo o que lhe indica um mapa. Em qualquer um dos casos, ele pode, vez ou outra, modificar sua direção. Ou para adequar-se mais corretamente ao mapa do qual, de alguma forma, se desviara; ou por algum detalhe local que atraia sua atenção, como a aparição de uma nova espécie de planta que lhe pareça particularmente especial e que jamais vira. No segundo caso, ele é livre para errar; no primeiro caso, segue um plano que lhe rouba a alegria da descoberta, mas lhe garante a segurança que o leva a caminhar e sair da floresta. A escolha de uma ou outra dessas atitudes depende de cada um. Fizemos uma escolha especial e quero agora fazer um balanço desta escolha.

Podemos dizer que a visão global, consubstanciada na estrutura universo, ocupa hoje um lugar de destaque no pensamento científico contemporâneo. Mais que isso, o conceito de totalidade que a cosmologia produziu permeia praticamente toda a atividade da física fundamental. Desde a segunda metade da década de 1960, a grande comunidade de cientistas, formada por cosmólogos, astrônomos, físicos, astrofísicos e outros, a utilizam, e fazem dela uma noção convencional, de par com os demais conceitos e características específicas com os quais elaboram e dão significado aos diversos fenômenos e processos observados. A partir daí, colocam-se questões, indagações sobre o encadeamento formal daqueles processos e fenômenos, que seriam reduzidas, menores, incompletas sem esse componente global. Por razões que comentamos atrás, não devemos aceitar a tentativa, baseada em uma ideologia pragmática, instrumentalista, de redução da função da cosmologia, limitando seu alcance e retirando sua grandiosidade, como se ela fora somente uma física extragaláctica. Tal função, conforme vimos, pertence a uma ontologia regional; ela não possui a ambição de estabelecer uma refundação global, completa da física.

Ao tentar deixar de lado a função mais importante da cosmologia, perpetra-se um movimento de diminuição de seu papel que tem várias consequências, dentre elas, a que aparece como a mais dramática consiste na impossibilidade de produzir uma explicação do momento da criação, na versão original do big bang, que se constituiria, graças a essa inacessibilidade, na aceitação da existência de um momento único de criação de tudo que existe, inacessível não somente à observação, como a qualquer descrição racional — conduzindo inevitavelmente ao suicídio da razão cósmica.

A cosmologia foi severamente criticada precisamente por sua ambição de produzir afirmativas sobre o mundo que a física se impôs não fazer. E esse impedimento não foi imposto de fora. Não provém de nenhuma tentativa de um outro saber que teria levado a impedir tal movimento. Não, essa impossibilidade veio de dentro, teve sua origem no núcleo duro dessa ciência, refletido na tentativa da redução da função da cosmologia a uma física extragaláctica. Entre as afirmativas, típicas de seu território de investigação, estão algumas que vimos comentando, a saber:

- Qual a origem da expansão global do universo?
- Quais são os dados iniciais do universo?
- As leis da física terrestre são válidas em todo o cosmos?
- Existem mais dimensões do que as quatro de espaço-tempo?
- Por que existe mais matéria do que antimatéria?
- Por que existe alguma coisa e não nada?
- Por que a massa das partículas elementares, como o próton e o elétron, tem um certo valor e não outro?
- Por que a entropia sempre aumenta?

A cosmologia está produzindo um discurso sobre essas questões, permitindo penetrá-las e produzir, inventar e codificar algum conhecimento sobre elas. Isso nos ajuda a entender porque vimos afirmando um modo novo de conceber seu papel. Sua verdadeira dimensão deve ser procurada precisamente no lugar em que se produz acesso a esse tipo de questões. Para desempenhar esse papel, a cosmologia deve refundar a física, reexaminar os fundamentos sobre os quais ela repousa e se sustenta. A refundação da física requer a orquestração da totalidade do mundo. Essa é a função da cosmologia. As diferentes partes, os diferentes setores da física somados, não produzem um discurso completo sobre o mundo. Falta alguma coisa, falta a base sobre a qual podemos descrever e fundamentar um discurso exaustivo e completo sobre o mundo. Isso que falta, essa ausência inibidora de um projeto maior, é a cosmologia que provê. É ela que tem a função de sustentar esse discurso global sobre o mundo. E sem esse discurso, a física, nosso conhecimento científico e racional sobre a natureza, fica multifacetado, dividido, e não tem a condição requerida capaz de permitir que descrevamos de um modo unificado a totalidade de nossas observações; e, mais grave ainda, impede que possamos organizar esse conhecimento integrado a partir de um ponto de apoio descrito em seu interior. Assim, com prática análoga àquela por meio da qual os filósofos das ontologias representam a função crítica de Kant, como uma refundação da metafísica tradicional, ao proceder à refundação da física, incorporando todas as forças da natureza, produzindo uma descrição completa do universo, tentando responder as questões que acima enumeramos e outras que aparecem nas bordas de nosso conhecimento, realiza-se uma verdadeira crítica dessa ciência. É essa a função que devemos atribuir à cosmologia, retirando-a do domínio restrito que lhe foi imposto, de ser identificada com uma física extragaláctica, para produzir uma metacosmologia.

Os físicos haviam alertado para as dificuldades inevitáveis que aparecem ao se examinarem processos fora de nosso controle formal ou observacional. A orientação correta exige que o cientista, contrariamente a uma lenda romântica, só deveria investigar questões que podem ser resolvidas. Parece que aquelas análises apontadas acima, e que o cosmólogo veio à cena para anunciar, não obedecem a essa regra e produzem confusão e descrédito do pensamento racional. Embora ousada demais, essa análise sustenta que o anunciado "fim da ciência" não coincide com a completa explicação formal dos fenômenos observados, mas porque alguns cosmólogos, por distração ou profunda lealdade à sua consciência como cientistas, se atreveram a violar aquela regra.

O objetivo do personagem C da peça original parece estar irremediavelmente fadado ao fracasso: do que vimos acima, não se trata mais de conhecer como se organizam as leis físicas, essa não é a boa questão, pois ela não vai fundo no pensamento, não desce às profundezas onde a razão se organiza. A verdadeira questão está escondida no modo pelo qual algumas estruturas observadas, alguns fenômenos admitem uma ordenação formal que a qualifique como uma lei. Como é isso possível? Essa constatação requer um esforço para acordarmos desse pesadelo racional e — por que não? — nos pormos na estrada que o personagem C escolheu seguir. Para iniciar essa caminhada, transcrevo abaixo o texto no qual C apresentou sua visão da formação das leis físicas a partir de uma leitura dos diversos modelos de criação do universo que os cientistas produziram nas últimas décadas.

A criação do mundo

Existem aqueles que não consideram a análise das origens do universo como uma questão digna de atenção dos cientistas e que merece ser tratada com interesse. Há mesmo quem não aceita sequer que ela tenha significado e que possa ser entendida como uma questão bem colocada pela ciência. Podemos ouvi-los argumentar que essa pergunta — "qual a origem do universo?" — não faz sentido e que o simples fato de que não conseguimos encontrar uma resposta única deveria ser motivo suficiente para sua desqualificação.

Não é para esses que escrevo. Meu comentário é dirigido para aquele que considera a indagação sobre as origens do mundo como uma questão relevante. Mais ainda, como uma questão primordial e tão importante que a ela devemos tentar responder com o máximo cuidado e atenção. A ela poderíamos consagrar uma vida e persistir no desconhecido caminho para sua compreensão. As antigas civilizações se ocuparam dessa questão que orientava suas sociedades e que estava presente a cada momento de sua história. No século xx, os cientistas ousaram propor sua versão. Estranhamente, as versões dos mitos tradicionais e as criadas pelos cientistas guardam semelhanças inesperadas. Devemos procurar as causas dessa coincidência.

Mitos cosmogônicos

Uma curiosa distinção entre as cosmogonias criadas nas antigas civilizações, através de práticas religiosas, e as desenvolvidas pela ciência, em especial no século xx, é a seguinte: os mitos religiosos são estabelecidos de uma vez por todas, eles não mudam. Dito de outro modo, não existe nenhum mecanismo para efetivar uma eventual alteração do texto original e seu *aggiornamento* a alguma circunstância ou fato atual.

De outro modo, como o conhecimento científico é variável, sua explicação da origem de tudo que existe muda de tempos em tempos. Nesse aspecto, ela não é confiável, isto é, sua interpretação e explicação da origem do mundo é instável como o próprio conhecimento científico. Tal distinção está longe de tornar a explicação científica menos verdadeira, mas ela deveria se apresentar menos impositiva.

Parece que temos aqui um aparente paradoxo: graças a seu método racional e à prática de testar seus enunciados, a ciência seguidamente modifica seu discurso sobre os processos observados no mundo. Isso diz respeito também a seu enunciado sobre a origem do universo.

Por outro lado, as cosmogonias antigas têm como sistemática a produção espontânea de distintas versões da criação, livres de compromisso com o método científico. Assim, embora sejam desprezadas pelos cientistas como falsas representações da realidade, elas são permanentes, constantes ao longo da história daqueles povos ou grupos que as aceitaram ou ainda as aceitam como a verdadeira descrição do começo do mundo. A cosmogonia científica é exata, mas cambiante. Assim, como não produz uma explicação absoluta da criação do mundo, dela poderíamos dizer que não é confiável. Embora essa característica seja típica de toda atividade científica.

Semelhança das descrições da origem do mundo

Não se conhece nenhuma civilização durável que não tenha produzido uma história completa sobre o nascimento do mundo. A semelhança existente entre essas versões, ocorridas em territórios tão afastados no espaço — como o Egito, a Turquia, a América, a Índia e a China —, bem como no tempo, separadas por centenas de anos, foram motivo de longas reflexões, sem que, no entanto, uma explicação completa e isenta de hipóteses esdrúxulas tenha aparecido.

Mesmo na ausência de uma consequente explicação formal, o reconhecimento da existência dessa semelhança entre as diversas versões da criação do mundo das civilizações antigas não provoca nenhum mal-estar formal, não choca o pensamento racional do Ocidente.

No entanto, comparar essas versões com aquela elaborada pelos cientistas ao longo do século XX e constatar a persistência de uma semelhança formal cria um estado de excitação e suscita o aparecimento de uma questão que não pode ser ignorada.

Com efeito, uma leitura, mesmo que superficial, das diversas descrições do nascimento do mundo produzidas pelas civilizações do passado e a recente produção de uma história completa do universo elaborada pelos cientistas provoca, sem dúvida, um inesperado e desconfortável sentimento de *déjà vu*.

Parece que estamos acessando um mesmo e único processo, uma mesma história contada com nuances de diferentes narradores que lhes empresta um tom particular, sem que os seus fundamentos e fio condutor único sejam abalados.

Seria essa semelhança de descrição uma simples questão de limitação de nosso imaginário? Ou seria associada ao inconsciente coletivo, como sugerido por Jung? Ou, em outra perspectiva, seria nada mais do que uma limitada sequência lógica que não pode ser ultrapassada?

Para ilustrar esse comentário, iremos seguir um caminho que permite realizar essa comparação, ao menos em sua aparência maior, sem descer a detalhes específicos que, esses sim, fazem aparecer distinções e reduzir suas semelhanças. Faremos isso usando, de um lado, uma versão do nascimento do mundo no Egito antigo (século IV a.C.) e, de outro, uma versão da cosmologia científica do final do século XX. Irei rever muito brevemente a primeira e me concentrarei nos detalhes específicos da versão científica. Ademais, como essa versão se baseia em um cenário teórico ainda em formação, iremos comentar algumas possibilidades que foram e estão ainda sendo investigadas pelos cientistas na elaboração de uma história completa do cosmos que envolva não somente sua evolução, mas que produza uma aceitável descrição científica da origem do universo.

Nascimento do mundo segundo a mitologia egípcia (século IV A.C.)

Houve várias versões sobre o nascimento do mundo no Egito antigo. A estrutura das organizações estatais das grandes cidades, bem como as do interior, permitiu o aparecimento de múltiplos mitos de criação. Particularmente significativo é o reconhecimento de que, naquela época, nenhuma crença tornava necessariamente as demais inaceitáveis. Nada semelhante na cosmologia moderna. Por ter um status diferente (não se trata, pois, de uma crença, mas de conhecimento científico), cada modelo cosmológico exige que os concorrentes sejam considerados falsos e inaceitáveis.

Nas descrições mitológicas da gênese, as coisas criadas não saíram do nada (*ex nihilo*) pela ação de uma divindade atemporal. Havia, de diversos modos e com variadas versões, aquilo que podemos chamar *o mundo anterior*. O que havia antes, o caos, era de um certo modo o "negativo do presente, o contrário dos elementos constituintes do mundo criado".

S. Sauneron nos alerta para essa interpretação de sabor

metafísico, ausente naqueles tempos antigos, e enfatiza que essa é a descrição feita por nós, hoje, daquelas narrações antigas. Devemos reter seu comentário e relativizar nosso discurso sobre esses mitos cosmogônicos. Tendo esse cuidado como pano de fundo, podemos seguir adiante.

Esse mundo anterior era personificado e a ele se atribuiu um nome, um som, Noun, para caracterizar e nomear aquele que nasceu de si mesmo. Assim, exceto esse Noun, tudo o mais teve um começo induzido por Noun, que seria denominado o Criador, aquele que criou e/ou cria.

A ciência moderna deve fazer frente à mesma dificuldade e produzir uma saída semelhante a essa. Na cosmologia científica moderna tudo teve um começo induzido, exceto o campo gravitacional, que é capaz de gerar a si próprio em razão da não linearidade que lhe é característica. O protodemiurgo (versão mítica egípcia) ou a gravitação (versão científica) tem uma única função: gerar a condição para que se possa construir um mundo.

Nascimento do mundo segundo a ciência (cosmologia) (século XX D.C.)

Houve várias versões sobre o nascimento do mundo na ciência moderna. A estrutura das organizações científicas dos institutos de pesquisa e universidades dos tempos atuais permitiu o aparecimento de diversos modos de formação do universo. Particularmente significativo é o reconhecimento de que um dado modelo de criação torna necessariamente os demais inaceitáveis. Por ter um status diferente dos mitos antigos (aqui, não se trata de uma crença, mas de conhecimento entendido como verdadeiro, pois científico), cada modelo cosmológico torna os demais falsos e inaceitáveis.

Na maioria das descrições cósmicas, as coisas criadas não saíram do nada (*ex nihilo*) pela ação de uma força atemporal. Havia, de diversos modos e com variadas versões, aquilo que podemos chamar *o mundo anterior*. Nesses cenários, o que havia antes, o caos, era de um certo modo o "negativo do presente, o contrário dos elementos constituintes do mundo criado".

Devemos alertar o leitor para essa interpretação de sabor metafísico que em geral desagrada e é desqualificada pela maioria dos cientistas e reter esse comentário para relativizar nosso discurso. Tendo esse cuidado como pano de fundo, podemos seguir adiante.

Esse mundo anterior era personificado e a ele se atribuiu um nome, um som, que caracteriza a estrutura mais fundamental a partir da qual tudo sairá: a estrutura do espaço-tempo, ou melhor, sua geometria ou, melhor ainda, a gravitação, que na formulação moderna determina e constitui a estrutura geométrica do mundo. Nessa formulação, esse nome, a gravitação, serve para caracterizar e nomear aquilo que nasceu de si mesmo.

Assim, como ocorre na mitologia, à parte Noun, tudo o mais teve um começo induzido (por Noun, que seria denominado o Criador, aquele que criou e/ou cria). O pensamento racional moderno atribui essa função à gravitação.

Os cientistas de hoje se envolvem em uma dificuldade semelhante àquela na qual, 24 séculos atrás, nossos antepassados se envolveram, e produzem uma solução semelhante. Com efeito, na cosmologia moderna, tudo teve um começo induzido, exceto o campo gravitacional, que é capaz de gerar a si próprio em razão da não linearidade que lhe é característica.

O protodemiurgo (versão mítica egípcia) ou a gravitação (versão científica global) tem uma única função: gerar a condição para que se possa construir um mundo, aquilo que hoje chamamos universo.

Eternidade ou finitude do mundo

A história da cosmologia, a partir do século xx, pode ser assim sintetizada:

- A interação gravitacional determina a geometria do mundo;
- Essa geometria (riemanniana) possui uma dinâmica (variação do volume global que aumenta com o tempo cósmico);
- Pode-se fixar o começo de uma era associando-a ao valor mínimo de seu volume espacial;
- Esse mínimo pode ser zero ou ter um valor extremamente pequeno, mas finito;
- No caso de ser diferente de zero, pode-se pensar em uma era anterior (regida por um colapso ao invés de expansão, na qual o volume global diminui com o passar do tempo, atinge um valor mínimo e começa então sua fase de expansão, onde o volume aumenta com o passar do tempo);
- Nesse caso, poderia ocorrer uma série (finita ou não) de ciclos de colapso seguido de expansão e novamente colapso e assim sucessivamente. É admissível considerar a possibilidade de que a expressão das leis físicas poderia ter estruturas formais variáveis dependentes das circunstâncias de cada ciclo;
- Ou seja, o universo pode ter sido criado em um tempo finito ou pode ser eterno, com sua existência podendo ser extrapolada para um passado infinito.

Pode-se então pensar um mundo sem substância, existindo somente como um autoprocesso gravitacional. Isto é, a gravitação pode ser anterior (não somente em sua estrutura lógica, como ontológica) à matéria.

E assim podemos organizar uma cosmogonia capaz de dar sentido à criação da matéria do mundo; e uma cosmologia capaz de gerenciar a evolução da geometria do espaço-tempo.

A origem do processo dinâmico do estado fundamental da geometria do espaço-tempo decorre, nos cenários de Universo Eterno, da instabilidade do vazio, este entendido como um estado quântico; ou seja, um vazio cheio de potencialidades, associado aos campos de matéria compossíveis. Nessa formulação, o universo nada mais é do que uma consequência inevitável da instabilidade do vazio do espaço-tempo.

É então que reconhecemos uma antiga questão: Deus poderia não criar um mundo? Ou, em sua versão moderna, adaptada à ciência: é possível imaginar esse vazio estável?

A resposta é categórica: não.

Manifesto Cósmico

Somente quando colocamos a cosmologia na frente de nossas intenções de dialogar com a natureza, aceitando seu efeito desestabilizador do pensamento tradicional da física, eliminando assim o nevoeiro que envolve o discurso formal da ciência fixado pelas práticas que configuraram a sociedade, é possível enxergar com clareza as consequências da aceitação de que a verdadeira ciência fundamental é histórica. É de compreender o alcance revolucionário dessa historicidade que trataremos.

PARTE I: **A questão**

1. Até aqui a ciência tem tido sucesso na construção de uma estrutura formal capaz de produzir tecnologias geradoras de transformações do cotidiano da sociedade. Em particular, esse projeto permitiu pensar a construção de estruturas globais como consequências formais de processos locais. Uma versão sofisticada, mas igualmente idealista, assegurou na prática a convicção de que o todo se produz a partir de suas partes e de algumas circunstâncias específicas. Foi graças a essa ilusão que a ideia de unificação dos processos físicos instalou-se na sociedade dos físicos como um Eldorado a ser conquistado. Não como um simples fator simplificador, mas como uma etapa indispensável para a compreensão dos fenômenos observáveis.

2. Quando, no exercício prático de suas atividades, o cientista se restringe a uma conversa com seus pares, a ciência progride como esquema conservador. Somente quando é levada a dialogar com a natureza, seu espírito revolucionário aparece. (Para aqueles que não convivem com a prática cotidiana do fazer ciência, essa sentença parece incoerente, pois não deveria ser sempre assim a prática científica? No entanto, a estrutura política da organização científica exige um afastamento de fato daquela prática.)

3. Existe uma crença generalizada segundo a qual uma ideia hegemônica, quando aparece no interior de uma dada ciência, deve ser entendida como uma verdade, provisória certamente, mas como uma certeza que transcende a simples opinião e que é típica dessa atividade de investigação da natureza exercida pelos cientistas. No entanto,

nem sempre é assim. Podemos apontar exemplos em várias áreas. Encontramos um caso típico na análise da origem explosiva do universo como descrito na cosmologia da segunda metade do século xx. A comunidade científica aderiu de modo quase leviano ao pensamento único segundo o qual teria havido um momento de criação do universo ocorrido há uns poucos bilhões de anos. Esse cataclismo cósmico único ficou conhecido, por sua enorme repercussão na mídia, pela expressão big bang.

O termo "aderiu" é usado propositadamente para enfatizar seu caráter não científico. Os detalhes dessa adesão e as razões pelas quais a comunidade científica internacional se deixou seduzir por essa ideia podem ser encontrados nos livros listados ao final.

É preciso, no entanto, esclarecer uma confusão que foi sistemática e ostensivamente propagada referente ao big bang, pois esse termo possui duas conotações bem distintas. Em sua utilização técnica, entre os físicos, ele significa a existência de um período na história do universo em que seu volume total estava extraordinariamente reduzido. Consequentemente, a temperatura ambiente era extremamente elevada. Isto é um dado da observação apoiado em uma teoria bem aceita. Praticamente todo cientista da área considera correta essa explicação, pois ela permite entender um número grande de observações astronômicas. Um segundo uso, agora mais ideológico, para o mesmo termo big bang, requer sua identificação à existência de um momento de criação, singular, para o universo. Durante as últimas décadas, essa segunda interpretação se espalhou pela sociedade exercendo uma função que ocupou o espaço imaginário da criação do mundo, até então controlado pela religião. E, no entanto, tratava-se de uma hipótese de trabalho travestida de verdade científica.

4. *Nós só reconhecemos uma ciência: a ciência da história*, afirmam Marx e Engels em *A ideologia alemã*. Como entender essa sentença no interior da atividade científica, na física, por exemplo? Somente aprofundando uma autocrítica que permita exibir as origens de sua refundação na cosmologia — a ciência histórica por excelência. Não exclusivamente baseada na aceitação da variação temporal do volume total do universo, mas por outros indícios esclarecedores, como a existência de processos de bifurcação.

5. É verdade que essa historicidade foi alardeada aqui e ali diversas vezes. A proposta recente mais atraente se deveu a Prigogine, que deu um passo nessa direção, propondo uma aliança formal entre as diversas ciências e as humanidades. No entanto, sua extensão foi tímida, por não ter incluído em sua análise a cosmologia, apoiando-se exclusivamente em processos descritos na física e na química, ciências locais. Somente ao consideramos a cosmologia e sua função desestabilizadora é possível enxergar com clareza a amplitude do conceito de que a ciência fundamental é histórica.

6. Imaginar que as leis da física são eternas e imutáveis, dadas por um decálogo cósmico, é ter uma visão a-histórica dos processos no universo. Apenas introduzindo a dependência cósmica das interações é possível retirar qualquer resquício de irracionalidade da descrição dos fenômenos na natureza e afirmar a força do modo científico de pensar o mundo. É ingênuo pensar que no século XX se tenha introduzido a função histórica na cosmologia somente porque se conseguiu (a partir de interpretações especiais de dados astronômicos) caracterizar a dinâmica gravitacional como

processo de expansão do universo, negando o imobilismo cósmico do primeiro cenário cosmológico proposto por Einstein. A dependência das leis da física em relação ao processo de evolução dinâmica do universo retira o conteúdo principal que orientava os cientistas na busca da unificação das leis físicas entendidas então como fixas e imutáveis. A cosmologia enfraqueceu essa paz racional aceita, até então, como natural e definitiva.

7. Os físicos não consideraram seriamente aquela afirmação de Marx e Engels porque a quase totalidade dos cientistas acreditava que aqueles filósofos estavam se referindo às questões humanas, o território natural da historicidade. A física, a ciência da natureza por excelência, sempre foi associada a uma prática que lida com processos que não se submetem à evolução e transformação às quais aquela asserção sub-repticiamente remete. No entanto, há argumentos sólidos segundo os quais aquela sentença pode efetivamente ser aplicada igualmente à física.

8. As leis da física são "para sempre"? Talvez fosse importante esclarecer ao leitor que, ao tratar das mudanças das leis da física, não estou me referindo àquelas alterações que fazem parte natural de seu procedimento de conhecimento. Sabemos que as leis de Newton — por exemplo, o seu cenário espaço absoluto e tempo absoluto — foram alteradas por Poincaré e Einstein. Esses não mostraram que Newton estava errado, e sim limitaram o alcance de sua descrição da natureza. Esse procedimento, essa correção de rumo, é corriqueira em todas as atividades sociais, e diz respeito não ao objeto de exame, a natureza, mas à condição humana. Não é a essa historicidade de

representação do real que estou me referindo, mas a da alteração das leis da natureza como intrínseca ao cosmos.

9. As necessidades do sistema econômico moderno não requerem essa historicidade, mas não lhe são hostis, pelo menos enquanto ela não inibir o modo de produção da ciência. Pois, na visão utilitarista dominante, o que se quer da ciência é o fundamento que permite o desdobramento de novas técnicas capazes de gerar tecnologias, produtos. É assim que a prática dos cientistas é conduzida, sub-repticiamente, à sujeição aos modos de dominação capitalista.

10. A alienação não se encontra na atuação formal no interior da atividade científica, nem em seus modos sociais, mas no próprio fazer ciência, na elaboração de novas questões, dos caminhos para sua solução e, principalmente, no abandono da prioridade maior dos cientistas: a pura curiosidade.

PARTE I bis: O Universo Solidário

11. Até muito pouco tempo a microfísica e, de modo mais amplo, a física terrestre eram pensadas fora do contexto cósmico. Elas pareciam não necessitar de explicação ulterior, eram tratadas como sistemas autorreferentes, sem admitir qualquer forma de análise extrínseca para constituir uma razão autoconsistente. No entanto, nas últimas décadas, a cosmologia invadiu abruptamente esse domínio tranquilo do pensamento positivista dominante e destruiu a paz racional daqueles que acreditam que a Terra, os homens, possuem um papel especial no universo.

12. Essa interferência cósmica sobre a física local não deve ser entendida como a substituição de uma razão absoluta por outra razão igualmente absoluta. Não se trata de trocar o absolutismo associado ao caráter universal da física local pelo de uma física global. A questão é um pouco mais complexa. O matemático A. Lautman faz uma bela síntese do que está em jogo em seu livro *Essai sur les notions de structure et d´existence en mathématiques*. Ao examinar a dicotomia local-global, ele propõe uma alternativa extremamente interessante com consequências tentaculares, referindo-se à possibilidade de produzir uma síntese orgânica entre diferentes teorias matemáticas que tratam das conexões local-global e que escolhem o predomínio de uma sobre a outra. Lautman argumenta que é preciso estabelecer uma ligação poderosa entre a estrutura do todo e as propriedades das partes, de modo a que se manifeste de maneira clara e precisa, nessas partes, a influência organizadora do todo ao qual elas pertencem. Esse ponto de vista, que parece adotar ideias e programas retirados seja

da biologia, seja da sociologia, pode aparecer na matemática como um procedimento de síntese. Para isso, deve-se abandonar o programa de Russell-Whitehead de reduzir a matemática a estruturas lógicas atomísticas; bem como a visão de Wittgenstein e Carnap, segundo a qual as matemáticas nada mais são do que uma linguagem indiferente ao conteúdo que elas exprimem. De modo semelhante ao que ocorreu na cosmologia relativista na última década, com o abandono da axiomatização Penrose-Hawking, estruturada para dar apoio à identificação da existência de um momento único de criação do universo separado de nós por um tempo finito.

13. Em outro lugar me estenderei sobre esse caminho que Lautman propôs. Aqui, serve somente como citação, como um exemplo de análise do que está acontecendo no território da cosmologia, para apontar que essa questão transcende nosso plano de exame das questões da física e constitui, em verdade, uma área de reflexão em diversos territórios do conhecimento. Ou seja, uma vez mais, nos deparamos com limites incertos de uma questão bem definida em um território que permite uma análise especial em outro. Embora distintas, essas questões tratam de algo que aproxima os diferentes modos de compreensão da realidade e que constitui o conjunto das ciências, da natureza e humanas. Exemplos concretos dessas ideias têm sido examinados nos últimos anos.

14. Como disse recentemente, isso coloca a todos nós, físicos, cosmólogos, pensadores de outras áreas, como grandes companheiros em uma caminhada maravilhosa rumo à compreensão do universo, tendo por base a ideia de que

a natureza possivelmente está ainda em formação. Não somente em processos e fenômenos, mas na constituição de suas próprias leis.

15. E surge então a questão, como mudam as leis? A estabilidade das leis da física observadas em laboratório terrestre decorre do fato de que sua dependência temporal envolve tempos cósmicos. Isso significa que somente olhando o universo em grande escala podemos observar esse processo de modificação. Exemplos importantes para detectar essa evolução são a análise da nucleossíntese, que determina a abundância dos elementos químicos no universo, bem como o exame dos processos que deram origem ao excesso de matéria sobre antimatéria; fenômenos excepcionais, que ocorreram em um estágio extremamente denso do universo, nos primórdios da atual fase de expansão.

PARTE II: **Aparências**

16. A questão inicial envolve o status do princípio reducionista, tão importante para os físicos. Esse princípio, que ao longo do século xx teve um sucesso extraordinário, pretende que qualquer processo na natureza, qualquer sistema, independentemente do grau de sua complexidade, pode ser explicado a partir da redução a seus elementos fundamentais, conforme, por exemplo, aqueles descritos pela física microscópica. Aplicado esse princípio ao universo, concluiu-se, de modo simplista, que não poderia haver nenhum efeito novo capaz de modificar as leis da física a partir da análise global do universo. A única alteração, se houvesse, poderia ser quantitativa, mas não seria qualitativa. Esse princípio, dito "do microcosmo para o macrocosmo", foi usado como um guia para o tratamento das questões cósmicas.

17. Por outro lado, sabemos do sucesso que teve o alcance da compreensão das propriedades das diferentes substâncias a partir do reconhecimento e da exploração de seus constituintes, de seus átomos fundamentais. A tabela de Mendeleiev trouxe notáveis avanços na compreensão de propriedades comuns a diferentes substâncias. Sem a noção de átomos, de elementos fundamentais a todos os corpos, as dificuldades em dar sentido e compreender um grande número de processos com os quais nos deparamos no cotidiano ou em experiências programadas seriam certamente maiores. Esse sucesso, no entanto, foi levado a um extremo que passou a ser não mais um instrumento útil de análise da realidade, mas, ao contrário, um conceito inibidor do pensamento. Passou-se das moléculas aos átomos, e desses aos componentes mais elementares, prótons e elétrons. E, continuando esse procedimento, aos *quarks* e possivelmente a outros constituintes fundamentais. O reducionismo a componentes elementares foi entendido não como uma tentativa de compreensão baseada em observações, e sim como uma prática de pensamento que deveria desempenhar o papel de uma super lei, à qual toda e qualquer proposta científica deveria se submeter: como se fosse uma verdade isenta de crítica ulterior.

18. Descartar a importância da ação de processos de natureza global, que não podem ser compreendidos pela justaposição de processos elementares, foi certamente um retrocesso no caminho desbravador dos astrônomos que, desde o século XVI, iniciaram a revolução científica e estabeleceram a ciência moderna. No século XXI, graças ao aperfeiçoamento de poderosos instrumentos capazes de aprofundar um novo olhar para os céus, pode-se produzir modos inesperados de compreender e reestruturar as leis da natureza. Assim, astrônomos e cosmólogos estão uma vez mais criando condições para o surgimento de uma profunda mudança no modo científico de descrever a natureza.

PARTE III: **Práticas**

19. Podemos aprender, com a história das ideias, as enormes dificuldades com as quais o programa de autocrítica da ciência que estamos descrevendo inevitavelmente se defronta.

20. Essa proposta desqualifica a ideia de que o conhecimento científico se identifica como a perseguição à pedra de Roseta dos processos físicos — um tradutor automático das leis da natureza e suas representações —, uma ilusão que sustenta ideologicamente muitos procedimentos científicos. Curiosamente, a eficácia desses procedimentos independe dessa ideologia.

21. Entramos então no território da cosmologia. Mas, do que vimos acima, não devemos nos satisfazer com a extensão automática da física aos confins das galáxias, mas empreender o caminho percorrido pelo universo para que nele pudéssemos estar. O homem não pode deixar de considerar seu ponto de vista como extremamente relevante, produzindo sua história. Ao mesmo tempo, deve colocar sua presença no cosmos como acidental, não como essencial, caso contrário cederia a um processo de "autoadulação" da espécie, uma extensão do conceito individual introduzido por Flavia Bruno.

PARTE IV: **Antecedentes**

22. Uma ciência como a cosmologia não vem à cena social como no estabelecimento de uma ordem política, mas como um saber. É desse território que ela envia mensagens interpretadas como ordens e de onde se extrairá consequências para atuar sobre a ordenação social. De braços dados com outros saberes científicos, oferece, gratuitamente, verdades.

23. Devemos refletir sobre essa gratuidade e sobre essas verdades. Precisamente porque elas constituem o substrato que permite a condução do pensamento formal e, nos tempos atuais, a geração de uma forma definitiva (e, no entanto, paradoxalmente, mutável) da quase totalidade das certezas que compõem essa rede invisível, mole, líquida, que permeia os compromissos sociais e que controla sub-repticiamente nosso ser político.

24. É com base nessas premissas que esse manifesto foi elaborado e que decidi torná-lo público, concluindo sua redação e desenvolvendo as propostas e demonstrações que ele exige ulteriormente.

25. Precisamos esclarecer algumas premissas e hipóteses que constituem o pano de fundo onde se desenvolve essa crítica, ou melhor, onde decidimos empreender esse diálogo para entender o modo real de fazer ciência. Sendo cientista, a primeira questão que deve ser esclarecida é essa: devemos considerar esse movimento como uma autocrítica ou podemos permitir àqueles outros, os não cientistas, julgamentos ao nosso funcionamento? Podemos deixar penetrar em nosso território críticas que não foram

estabelecidas em nosso campo de ação? Que talvez nem aceitem nosso modo de escolher aquilo que é importante e merece ser tema de diálogo? Ou devemos aceitar somente dissensões internas, que muitas vezes são vistas pelos do lado de lá, por aqueles que acreditam na ciência e não a questionam (talvez por se sentirem incompetentes para isso) como teimosias de quem (ainda) não possui "o verdadeiro conhecimento"? Como podemos exibir críticas internas que tendem a diminuir o poder acumulado ao longo dos séculos pela atividade científica?

26. A história da ciência tem repertoriado um grande número dessas batalhas internas. Mas elas, quase sempre, são vistas como um momento necessário, uma passagem inevitável rumo ao conhecimento. Esse processo é corriqueiro, quase trivial, mesmo que seja associado a uma formidável batalha formal. Mas não é disso que quero tratar aqui e, como veremos, a razão principal se deve à especificidade da cosmologia.

27. A cosmologia está se tornando (ou melhor, voltando a ser, depois de um longo período mecanicista, ideologicamente voltado para a formalização determinista do mundo) um território de reflexão e refundação do pensamento. É ali que se encontra hoje — como em seu primeiro movimento, quando os astrônomos, há mais de trezentos anos, fundaram a ciência moderna — novos modos de pensar a natureza. É talvez por isso que no encontro *Humanidades*, realizado no Forte de Copacabana, durante a conferência Rio+20, o pensamento ecológico foi procurar no cosmos sua fonte de inspiração, querendo entender quem somos, que mundo é esse, como esse universo se estruturou, em qual direção e suas alternativas.

28. Vimos a extensão desse movimento no reconhecimento de que devemos ultrapassar a ideia antropocêntrica e simplista de que para entender o universo é preciso antes interrogar a nós mesmos. O pensamento cósmico está na base dessa reflexão sobre a humanidade. Não devemos restringir nosso olhar para a Terra e nossa vizinhança. Mas também é importante não esquecer que existe somente essa Terra como nosso habitat, não é fechando os olhos para o mundo sublunar que podemos produzir alguma sentença significante sobre a existência do universo.

29. No passado, as religiões olhavam para os céus e de lá traziam verdades e leis rígidas a serem seguidas. Seus sacerdotes detinham o poder como consequência de seu saber ao intermediar o homem e o universo. Agora que a ciência se apoderou do saber sobre o universo, foi possível dispensar os antigos intermediários. No entanto, não deveríamos substituir antigos sacerdotes por novos. Não deveríamos trocar sacerdotes por cientistas para exercer essa função.

30. Ao lançar uma ponte com duas direções entre a cosmologia e outros saberes, estamos tentando evitar essa atração, esse terrível desejo humano de ser, ao mesmo tempo, escravo e senhor.

31. Ao percorrer os caminhos que antecederam o Manifesto, ficou clara a questão da técnica e o modo pelo qual alguns filósofos, como Heidegger, estabeleceram a conexão que provoca a dependência de nossa visão do mundo dessa técnica.

32. Não nos interessam as razões que são chamadas para intermediar o modo pelo qual os físicos tentam desqualificar o papel fundamental da cosmologia enquanto refundação da física. Importa, sim, seu papel como um modo de ser da desqualificação da refundação como um procedimento técnico, formal.

33. Não podemos aceitar a redução imposta pela sociedade dos físicos em caracterizar a cosmologia como nada mais do que uma física extragaláctica (com possíveis alterações, convencionais ou não), ou seja, a aplicação das leis da física construídas nos laboratórios terrestres e em sua vizinhança, ao universo. Consequentemente, atribuindo àqueles que pretendem associar a análise do universo além da simples aplicação formal das leis da física como possuindo uma orientação externa, além da ciência, metafísica — como se isso servisse para uma acusação desqualificante. Em verdade, esse procedimento tem por função disfarçar aquilo que nos anos de fundação, na década de 1920, era entendido como a questão cosmológica, querendo com esse termo enfatizar o aspecto problemático da aplicação da física ao universo.

34. A cosmologia teve um sucesso enorme nos últimos anos e a mídia não cansa de exibir seus efeitos exuberantes, um show de pirotecnia a partir da seleção de catástrofes cósmicas.

35. Nuccio Ordine, em seu Manifesto, parte literata desse nosso, fala da utilidade daquilo que é inútil. Seria esse o destino maior da cosmologia? Procurar as origens do universo é um trabalho de Sísifo? Cuidadosamente preparado para não ser acabado?

36. Quando, em setembro 2015, nos aproximamos, cosmólogos, literatos, filósofos, físicos, antropólogos, mitólogos, em um encontro que chamamos *Renascimentos*, nos deparamos com a questão da ética, que pareceu ser por onde deveríamos começar nossa caminhada comum. Como um recomeçar. E ali ouvimos os detalhes das razões de sempre apresentar essa atividade como um recomeço. Só assim entendemos, então, porque o cosmos deve ser pensado como um compromisso ético, que Galileu, Newton, Giordano Bruno e outros, no começo histórico dessa caminhada, conscientemente ou não, nos legaram.

PARTE V: **Processo e historicidade**

- A totalidade do volume espacial do universo varia com o tempo cósmico. Há uma dinâmica que carrega as origens do cosmos para um tempo longínquo, possivelmente no passado infinito. Entendemos isso como um processo, com diferentes atores dominando a cena cósmica, em períodos de condensação distintos;

- Essa dinâmica é uma evolução. Mas não pode ser identificada com o surgimento da historicidade na física, porquanto o cenário convencional, padrão, impõe sua descrição a partir de leis físicas dadas a priori, constantes, imutáveis;

- Processos elementares, como a desintegração da matéria, nesse cenário, são configurações congeladas, fixas, ocorrendo de modo idêntico em qualquer momento da evolução do universo, mesmo quando o universo estava extraordinariamente concentrado. Isto é, são fenômenos descritos da mesma forma, tenha esse processo ocorrido há alguns bilhões de anos ou no laboratório terrestre, no CERN ou no Fermilab. Essa univocidade é entendida pelo establishment sob o rótulo de coerência;

- A dependência cósmica dessas interações elementares, como, por exemplo, processos de desintegração da matéria, geridos pela interação de Fermi, provoca uma mudança nessa interpretação. Fazer esse processo depender do tempo cósmico é introduzir, ainda que limitadamente, a história no processo de sua análise. É aceitar que o universo deve ser entendido a partir da evolução de suas leis físicas;

- Esse processo de historicidade é brando, ou seja, admite uma descrição em termos formais simples, associados a formalismos conhecidos e que podem ser compreendidos a partir de configurações observadas nos laboratórios terrestres;

- Um exemplo de historicidade dura aparece ao entendermos que os fenômenos a serem descritos, associados à evolução da estrutura métrica do espaço-tempo, possuem bifurcações;

- A origem formal para isso se encontra no caráter não linear das equações da interação gravitacional que descrevem esses processos;

- Ao mesmo tempo, esse caráter não linear permite entender a autocriação do universo;

- Dito de outro modo: não é necessário sair da análise do universo físico para entender sua origem, pois um processo não linear não requer uma fonte externa que lhe dê origem;

- Ou seja, esse universo autocriado, não necessita de um agente externo para provocar sua existência;

- É a partir dessas considerações, baseadas em análises de evolução do universo e de suas leis básicas, que é possível desenvolver uma autocrítica da ciência.

PARTE VI: **As questões**

Tratava-se, no começo, de verbalizar o que pode e o que não pode ser dito e, a partir do discurso científico, enumerar questões que parecem fantasiosas ou são entendidas como associadas a processos irrealizáveis, isto é, utopias controladas. Ideias que, embora pertençam a um sistema formal correto, decorrente de uma teoria em vigência, são abandonadas por sua aparência fantasiosa, estranha, entendidas até mesmo como incoerentes, graças a uma leitura antropocêntrica baseada na identificação completa da natureza física com a natureza humana, ignorando os diversos níveis de complexidade e de organização que constituem obstáculos reais para isso. A origem das dificuldades dessa identificação, bem como a impossibilidade de tratar todos os processos — da microfísica ao universo — a partir da utilização do dialeto newtoniano, o modo de descrever a realidade pela linguagem da física clássica, gerada nos tempos de Newton e seus companheiros, a linguagem cotidiana, pode ser compreendida ao reconhecermos o erro em sua extrapolação, que lhe atribuiu um caráter universal e absoluto. Aparecem, então, linhas de investigação que apontam para questões que não são resolvidas dentro do cenário convencional, sendo, portanto, qualificadas como utopias, associadas, por exemplo, às sentenças que seguem.

PARTE VI bis: **Utopias controladas** (o que não pode ser dito)

37. É possível que tenha havido (o uso temporal aqui é indevido) outros mundos;
38. É possível que o universo esteja ainda em formação, ou seja, inacabado;
39. As leis da física não são imutáveis. A dependência cósmica das interações exige uma nova forma de entender a evolução do universo;
40. Essas variações permitem mapear diferentes domínios espaço-temporais do cosmos;
41. Limitar nossas considerações sobre o universo às regiões causais constitui uma limitação formal que, fora de um dogmatismo absolutista, nenhum cientista pode justificar, como nas estruturas acausais de Gödel;
42. Comentários sobre as origens no infinito passado do universo;
43. Análise de bifurcações no cosmos e as consequentes alterações na causação, ao longo da evolução do universo, gerando sua historicidade;
44. O vazio cósmico e buracos brancos injetando matéria nova no universo;
45. O cosmos como um processo aberto, território de encontro das diversas formas criadas para refletir, entender, produzir a realidade.

PARTE VII: **Declaração**

A autocrítica que vimos comentando nesse Manifesto põe em relevo um mal-estar que atinge o modo científico de conduzir o pensamento racional sobre o que existe.

A ciência, sem perder sua intimidade original com a filosofia, deveria servir para libertar o homem da submissão a um projeto único de pensar o mundo. Infelizmente, isso não ocorre, em razão do papel que hoje lhe é atribuído, a subordinação de sua função à técnica, na construção de um mundo pervertendo nosso cotidiano.

A ilusão da configuração pétrea das leis físicas terrestres, a hipótese de sua atuação ilimitada no cosmos, sua dependência estreita e completa do antropomorfismo que a domina, produz forças extremamente poderosas que impedem de fato a construção dessa liberdade.

No entanto, a atividade científica, tal como a identificamos nesse texto, pode servir para essa função libertária, de par com a filosofia e os demais saberes. Afinal, por estarmos caminhando pela mesma estrada, nem sequer deveríamos perceber que escolhemos discursos distintos para fazer comentários sobre o mundo.

Rio de Janeiro, 20 de março de 2017.

Bibliografia

ARNOLD, Vladimir I. *Catastrophe theory*. Berlin-New York: Springer-Verlag, 1984. [ed. bras.: *Teoria da catástrofe*, trad. Luiz P. N. Franco. Campinas: Editora da Unicamp, 1989].

BACON, Francis. *Novum organum ou verdadeiras indicações acerca da interpretação da natureza. Nova Atlântida*. São Paulo: Nova Cultural, 1999 (Col. Os Pensadores).

BARABASH, A. Stanislav. Is the weak interaction constant really constant? *European Journal of Physics*, v. 8, n. 1, pp. 137-140, 2000.

BERGSON, Henri. *L´évolution créatrice*. Paris: P.U.F., 1989.

BLANQUI, Louis-Auguste. *L´eternità attraverso gli astri (uma cosmologia fantástica)*. Roma: Theoria, 1983. [versão em italiano do original francês *L´éternité par les astres* de 1872.]

BLUMENBERG, Hans. *Teoria da não conceitualidade*. Tr. br., coment. e introd. Luiz Costa Lima. Belo Horizonte: Ed. da UFMG, 2013.

BRUNO, Giordano. *Acerca do infinito, do universo e dos mundos*. Tr. br. Diamantino F. Trindade e Lais S. P. Trindade. São Paulo: Madras, 2006.

CALVINO, Italo. *Seis propostas para o próximo milênio*. Tr. br. Ivo Barroso. São Paulo: Companhia das Letras, 1990. [Lezione americane (sei proposte per il prossimo milennio). Local: Mondadori, 1993].

CAMPANELLA, Tommaso. *A Cidade do Sol*. Tr. br. Paulo M. Oliveira. São Paulo: Martin Claret, 2004.

CAMUS, Albert. *Le mythe de Sisyphe*. Paris: Gallimard, 1942. [ed. bras.: *O mito de Sísifo: ensaio sobre o absurdo*, trad. Mauro Gama, Rio de Janeiro : Guanabara, 1989].

CANTOR, Georg. *Contributions to the founding of the theory of transfinite numbers*. New York: Dover, 1915.

CARVALHO, Flavia Luiza Bruno Costa de. *Deleuze e Novello: Por uma imagem do pensamento que ponha fim à autoadulação do sujeito*. Coletânea (Rio de Janeiro), v. 26, p. 197-262, 2014.

EINSTEIN, Albert. *The meaning of relativity*. 2a ed. Princeton, NJ: Princeton University Press, 1950.

FARMELO, Graham. *L´uomo piú strano del mondo (Vita segreta di Paul Dirac, il genio dei quanti)*. Milão: Raffaello Cortina, 2013.

FOUCAULT, Michel. *A verdade e as formas jurídicas*. Tr. br. Roberto Machado e Eduardo Jardim Morais. Rio de Janeiro: Nau, 1996.

GRENE, Marjorie. *El sentimiento trágico de la existência*. Madri: Aguilar, 1955.

HEIDEGGER, Martin. *Il concetto di tempo*. Milano: Adelphi, 1998.

_____. *Prolégomènes à l´histoire du concept de temps*. Paris: Gallimard, 2006.

HUNTINGTON, Edward V. *The continuum and other types of serial order*. New York: Dover, 1917.

HURAND, Bérengère e LARRÈRE, Catherine (dir.). *Y a-t-il du sacré dans la nature?* Paris: Publications de la Sorbonne, 2014.

LYOTARD, Jean-François. *La condition postmoderne*. Paris: Minuit, 1979. [ed. bras.: *A condição pós-moderna*, trad. Ricardo Correa Barbosa. Rio de Janeiro: José Olympio, 1998].

KOLAKOWSKI, Leszek. *Orrore metafisico*. Bolonha: Il Mulino, 1988.

LAUTMAN, Albert. *Essai sur les notions de structure et d´existence en mathématiques*. Paris: Hermann, 1938. 2v.

_____, A. *Les mathématiques, les idées et le réel physique*. Paris: Vrin, 2006 [do original de 1977].

LEVINAS, Emmanuel. *Totalité et infini:* essai sur l'extériorité. Paris: Le Livre de Poche, 1971 (Col. Biblio essais).

MANIN, Yu. I. *Lo demostrable e indemostrable.* Moscou: Mir, 1979.

MAYR, Ernst. *What makes biology unique?* Considerations. for the autonomy of a scientific discipline. Cambridge: Cambridge University Press, 2004. [ed. bras.: *Biologia, ciência única:* reflexões sobre a autonomia de uma disciplina científica, trad. br. Marcelo Leite. São Paulo: Companhia das Letras, 2005.]

MELNIKOV, Vitaly N. *Gravity as a key problem of the millennium.* Cornell University Library, arxiv: gr-qc/0007067 (2000).

Merleau-Ponty, Jacques. "Questions philosophiques de la cosmologie". Comunicação apresentada na Société de Physique et d'Histoire naturelle de Genève em 1998, parcialmente retomada e publicada pela revista *Épistémologiques*, v. 1, n. 1-2, p. 13-23, 2000.

MORE, Thomas. *Utopia.* Tr. br. Márcio Meirelles Gouvêa Júnior. Belo Horizonte: Autêntica, 2017.

MUSIL, Robert. *Pour une évaluation des doctrines de Mach.* Paris: PUF, 1980.

NOVELLO, Mário. *Cosmos et contexte.* Paris: Masson, 1987.

_____. *Os jogos da natureza.* Rio de Janeiro: Campus, 2004.

_____. *Máquina do tempo (um olhar científico).* Rio de Janeiro: Jorge Zahar, 2005.

_____. *O que é cosmologia?* Rio de Janeiro: Jorge Zahar, 2006.

_____. *Do big bang ao Universo Eterno.* Rio de Janeiro: Jorge Zahar, 2010.

NOVELLO, Mário; BITTENCOURT, Eduardo. Metric Relativity and the Dynamical Bridge: Highlights of Riemannian Geometry in Physics. *Brazilian Journal of Physics*, v. 45, p. 756-805, 2015.

NOVELLO, Mário; PEREZ-BERGLIAFFA, Santiago E. Bouncing cosmologies in Physics Reports. *Elsevier*, v. 463, n. 4, jul. 2008.

POINCARÉ, Henri. *La science et l'hypothèse*. Paris: Flammarion, 1902. [ed. bras.: *A ciência e a hipótese*, trad. Maria Auxiliadora Kneipp. Brasília: Editora da UnB, 1985].

PRIGOGINE, Ilya; STENGERS, Isabelle. *A nova aliança*: metamorfose da ciência. Tr. br. Miguel Faria e Maria Joaquina Machado Trincheira. Brasília: Universidade de Brasília, 1991. [*La nouvelle alliance*. Metamorphose de la Science. Paris: Gallimard, 1979].

_____. *Entre le temps et l´éternité*. Paris: Fayard, 1988.

QUENEAU, Raymond. *Piccola cosmogonia portatile*. Torino: Einaudi, 1920.

Rossi, Paolo. *Os filósofos e as máquinas*. Tr. br. Federico Carotti. São Paulo: Cia das Letras, 1989.

SAUNERON, Serge et al. *La naissance du monde*. Paris: Seuil, 1959.

SIERPINSKI, Waclaw. *Leçons sur les nombres transfinis*. Paris: Gauthier-Villars, 1950.

SPROUL, Barbara C. *Primal myths (creation myths around the world)*. San Francisco: Harper, 1991.

SUPIOT, Alain. *La solidarité: Enquête sur un principe*. Paris: Odile Jacob, 2015.

The National Academies. *Connecting quarks with the Cosmos (Eleven Science questions for the new century)*. Washington: The National Academies Press, 2001.

Sobre o autor

MARIO NOVELLO é um cosmólogo brasileiro de reputação internacional. Com doutorado em Física pela Université de Genève, na Suíça, e pós-doutorado no Astrophysics Department da Cambridge University, na Inglaterra, criou, em 1976, o Grupo de Cosmologia e Gravitação no Centro Brasileiro de Pesquisas Físicas, inaugurando em nosso país o estudo sistemático da Cosmologia.

Entre seus mais importantes artigos científicos destaca-se "Boucing Cosmologies", publicado em 2008 na prestigiosa revista americana *Physics Reports*. Ali, coloca-se na ordem do dia a ideia de um universo não singular, eterno, em oposição à teoria do Big Bang: "A ciência não tem como provar que o Universo começou com uma explosão, simplesmente porque não é possível medir quantidades físicas de valor infinito. Até Einstein se posicionou contra o modelo da explosão. Mas nem ele foi capaz de impedir que os cientistas teimassem que o único universo viável era o do Big Bang. Defendo a teoria de que existiu uma fase anterior do Universo, caracterizada pelo colapso, até perto do momento de condensação máxima — quando teria tido um volume extremamente pequeno. Depois, começou uma fase de expansão, que é a que vivemos. Essa teoria, chamada de universo eterno dinâmico [...], permite imaginar que o Universo tenha atravessado vários momentos de retração e expansão."

Em novembro de 2010, foi homenageado pela Comunidade Científica Internacional com o I Symposium Mario Novello on Boucing Models. Dois anos mais tarde ocorreu a Conferência Internacional 70th Anniversary Symposium Mario Novello. Em 2012 foi nomeado Professor Emérito do CBPF por sua atuação como cientista e formador de cientistas durante os 40 anos em que trabalhou como pesquisador naquela instituição.

Publicou mais de 150 artigos científicos em revistas internacionais. É autor de vários livros, entre eles *Os cientistas da minha formação*, pelo qual recebeu o Prêmio Jabuti, em 2017. Criou, em 2011, a revista eletrônica *Cosmos e Contexto*, intensificando a interação entre as ciências humanas e a cosmologia.

Dados Internacionais de Catalogação na Publicação (CIP) de acordo com ISBD

N939u   Novello, Mario

   O universo inacabado: a nova face da ciência / Mario Novello. - São Paulo : n-1 edições, 2018.
   208 p. ; 14cm x 21cm.

   Inclui bibliografia e índice.
   ISBN: 978-85-66943-55-9

   1. Cosmologia. 2. Ciência. 3. Filosofia. I. Título.

2018-476   CDD 113
                                                 CDU 113

Elaborado por Odilio Hilario Moreira Junior - CRB-8/9949

Índice para catálogo sistemático
1. Cosmologia 113
2. Cosmologia 113

n-1

O livro como imagem do mundo é de toda maneira uma ideia insípida. Na verdade não basta dizer Viva o múltiplo, grito de resto difícil de emitir. Nenhuma habilidade tipográfica, lexical ou mesmo sintática será suficiente para fazê-lo ouvir. É preciso fazer o múltiplo, não acrescentando sempre uma dimensão superior, mas, ao contrário, da maneira mais simples, com força de sobriedade, no nível das dimensões de que se dispõe, sempre n-1 (é somente assim que o uno faz parte do múltiplo, estando sempre subtraído dele). Subtrair o único da multiplicidade a ser constituída; escrever a n-1.

GILLES DELEUZE E FÉLIX GUATTARI

n-1edicoes.org